Cauterio

Lucía Lijtmaer

Cauterio

EDITORIAL ANAGRAMA

BARCELONA

Esta obra ha contado con el apoyo de las Becas de Escritura Montserrat Roig del programa **B** *del Ayuntamiento de Barcelona*

**Barcelona
Ciutat de la
Literatura
UNESCO**

Ilustración: © Lover's Eyes (ca. 1840) / Dale T. Johnson Fund, 1999 / The Metropolitan Museum of Art

Primera edición: marzo 2022
Segunda edición: marzo 2022
Tercera edición: marzo 2022
Cuarta edición: mayo 2022

Diseño de la colección: Julio Vivas y Estudio A

© Lucía Lijtmaer, 2022
Por mediación de MB Agencia Literaria, S. L.

© EDITORIAL ANAGRAMA, S. A., 2022
Pau Claris, 172
08037 Barcelona

ISBN: 978-84-339-9946-7
Depósito Legal: B. 2179-2022

Printed in Spain

Romanyà Valls, S. A., Sant Joan Baptista, 35
08789 La Torre de Claramunt

Al colocar el queso como cebo en una ratonera,
siempre hay que dejar espacio para el ratón.

«El huevo de pascua», SAKI

You'd better hope and pray
That you'll wake one day in your own world.

«Stay», SHAKESPEARS SISTER

Someone once told me that explaining is an admis-
sion of failure.

I'm sure you remember, I was on the phone with
you, sweetheart.

RICHARD SIKEN

1. PLAZA DE LES GLÒRIES (ANTES)

Durante mucho tiempo solamente me quiero matar. Fantaseo con dejar de existir, con dejar de tener cuerpo, y esa idea me resulta inevitable y pacífica. Al principio ansío la placidez de un mar de barbitúricos, un mar como después de una tormenta, como una playa caribeña sin oleaje. Pero poco a poco la fantasía se sofistica, y la imagen más recurrente que se instala en mi cabeza es que el suelo del piso en el que vivo se curva hacia los lados, las esquinas se convierten en toboganes y resbalo por ellas, sin poder agarrarme a nada, y como si todo formara parte de un experimento sádico, caigo al abismo hasta la tela asfáltica que recubre el patio interior de la finca.

Pero soy cobarde y no me mato.

Soy cobarde. Esto es importante para esta historia.

Con el tiempo, mientras voy en el autobús número 7 rumbo al trabajo la fantasía cambia. Una mañana, en algún cruce aburrido, lleno de gente con cara de sueño y tuppers en la mochila, comienzo a imaginar que la ciudad entera queda anegada por los efectos del cambio climático.

La idea va tomando cada vez más forma en la oficina donde trabajo, una sala gigante situada dentro de un bloque de cemento en la plaza de les Glòries, en cuya entrada unos operarios instalaron un enorme mapa retroiluminado del Poblenou con la leyenda «Districte 22@, un districte de futur». Desde aquí, desde este bloque de cemento visto tanto por dentro como por fuera, una de esas hazañas del partido socialista de los años noventa, atiendo llamadas y pienso en el final.

Mientras imagino líneas rectas entre Diagonal Mar y la calle Llacuna, mientras redacto planes de comunicación para justificar qué edificios ruinosos de la calle Pallars se convertirán en hubs de diseño con los muros cubiertos de cascadas de helechos o en centros logísticos de paquetería, el agua marrón me nubla la vista y me invade el cerebro.

Si los polos se están derritiendo, Barcelona será de lo primero en quedar borrada, después de Venecia y Ámsterdam. Como está en una pendiente que oscila entre el diez y el quince por ciento, además, primero morirán los pobres, los taxistas paquistanís del Raval, las chicas filipinas de la panadería de la calle Sant Vicenç, la señora Quimeta y su mercería, los guiris de la Barceloneta, todos, absolutamente todos, los holandeses, los franceses, los ingleses y los italianos −nadie echará de menos a los italianos−. También se irán flotando los vigilantes de seguridad, los trabajadores del metro y los dependientes del mercado de Santa Caterina. Se anegarán el Llobregat y todos sus juncos, se desbordará el Besòs y todo ese torrente se confundirá con la mancha de agua que ocupará Sant Adrià y Cornellà, a este y a oeste, esa mancha que acabará con el aeropuerto y arrasará Castelldefels. Se salvarán, en una pirueta azarosa, el templo budista del Garraf, llamado Sakya Tashi Ling, y los jipis de la Floresta, solamente porque el suelo es calcáreo y las casas no se vendrán abajo tan fácilmente. Putos jipis.

El agua cenagosa lo cubrirá todo. Las últimas en caer,

seguro, serán las señoras pijas del Putxet, menudas cabronas. Pero tampoco ellas se salvarán. Con sus perlas nacaradas, su esmalte de uña color café con leche y sus peinados lacados impecables e indestructibles, flotarán como góndolas calle Balmes abajo, azules, muertas, hinchadas, por el agua marrón que se lo llevará todo, todo se lo llevará, hasta el Quadrat d'Or modernista. Se llevará los Pans'n'Company, el Liceu, los tatuadores de la calle Tallers. Quedarán anegadas las falsas bodegas de pueblo, esas que tienen un mobiliario un poco antiguo pero no mucho, esas con el suelo de baldosa hidráulica de papel adhesivo. El agua color charco y el olor a cloaca nos cubrirá a todos, incluyendo a Joan Gaspart, a Núria Feliu, a Andreu Buenafuente, a Bibis Salisachs –que ya está muerta, pero qué más da–. Los muertos llevan susurrándonos durante décadas y no hemos querido escucharles, yo lo sé. El centro comercial Maremagnum se verá reducido a un montículo, arrasado por la inundación. También la Facultad de Comunicación Audiovisual de la Pompeu Fabra. Y las sesiones matinales de los Icària Yelmo.

Por las noches hago listas de todo lo que la subida del nivel del mar destrozará. No puedo parar. La Colònia Güell, el Teatre Nacional, el bingo Billares, el centro de arte Hangar, todos los Mercadona, la sede de la Agencia Tributaria de Letamendi, el bar Lord Byron de la calle València, el Institut del Teatre, el cuartel del Bruc.

Caerá el Sutton, caerán las chocolaterías de la calle Xuclà. Las golondrinas, esos barquitos turísticos de madera que olían a petróleo, ya no estarán en el puerto sino que habrán aterrizado extrañamente sobre algún arbolito de Montjuïc, donde el agua también habrá sorprendido a dos amantes en plena acción, por lo que morirán con los pantalones bajados.

Es con esa imagen en la cabeza y no otra que, al volver del trabajo, cuando hago la compra en el supermercado, empiezo a pedir más bolsas de plástico. Tengo tantas ganas de que nos ahoguemos todos que dejo las luces encendidas en casa y no reciclo. Si supiera conducir lo haría a toda velocidad por la carretera de les Aigües, despegaría por la ronda de Dalt a ciento cincuenta, con gasolina altamente contaminante, algo para chamuscar la flora, algo para ahogar a los jabalíes, algo para acelerar el proceso. Vamos a envenenarnos todos juntos, vamos a darle caña a este ritual conjunto, vamos a darlo todo, *once more with a feeling*.

Pero no lo logro. En su lugar, me voy a vivir a Madrid. Que es algo bastante parecido a la muerte.

I. DEBORAH BAJO TIERRA

No sé si estoy viva.

Intuyo que no. La tierra a mi alrededor es apenas polvo, tan distinta del barro oscuro de mi infancia. La tierra sobre mi frente es salada, no entiendo por qué. También sobre mis brazos, entre mis piernas, tierra con gusto a sal y a mar, apenas puedo abrir los ojos, rodeada de tierra arriba y abajo. Dicen que la sal cauteriza, pero con los años he aprendido que también corroe y destruye todo lo que toca.

No debo de estar viva, tanto peso sobre mis hombros, y sin sentir dolor, no hay nada en mis pulmones, esta tierra me es desconocida, no la recuerdo. Los pastos de mi infancia eran húmedos, de un verde deslavado, siempre pasado por agua, y los bosques en cambio oscuros en invierno, el aire cortando el aliento, una cuchilla que raspaba por dentro. No hay aire dentro de mí, ni agua, solo tiempo.

Definitivamente no estoy viva porque a mi alrededor reptan los gusanos, suaves como la seda china, cosquilleando sobre mi piel.

Seda china. Olor a fruta exótica. El recuerdo de nuestra primera noche, no, ahora no, entre esta tierra gris rata no cabe nuestra sangre, ahora que estoy vaciada, ahora que alguien me sacó las entrañas, y mi cuerpo soporta todo el peso del tiempo y de esta tierra desconocida.

Debo empezar por la tarde en que él se presentó en casa a pedir mi mano, o quizás más atrás, más aún, cuando nos conocimos. Fue tres meses antes, en las caballerizas. Yo llevaba el pelo largo, muy largo, no me lo había cortado nunca pese a que mi madre insistía, no permití que me lo cortaran. Lo tenía recogido, tirante, en un enorme moño que me pesaba, la falda perfumada, las manos bien enjabonadas, ya mayor, veinte años. En casa no me dejaban ir a los bailes, toda mi experiencia eran los campos verdes, la misa de domingo, la iglesia de piedra fría, y mi padre enseñándome mapas en los libros. «¿Ves las calles, Deborah, las ves?» Y yo recorría las calles de las ciudades con el dedo y parecían ríos de color cobre, que se retorcían como serpientes, como nudos en la madera. El hombre entró al establo buscando al capataz, pero estábamos solamente el ama de llaves y yo, dando de comer a los caballos. Era noviembre, pasábamos parte del otoño y el invierno en el campo, lejos de Londres. Yo echaba terriblemente de menos la ciudad, pero mi padre insistía en volver a la casa que le vio nacer en la época en la que crecen las setas del bosque y florecen los rododendros, el mes de los castaños y de cazar ciervos. Me fijé en que era alto, tenía la barba rubia y los ojos curiosos. Le pidió permiso a mi acompañante para sentarse con nosotras en un banco en el exterior de las caballerizas. Qué bridas usa, preguntó, sin preguntar mi nombre, porque ya lo sabía. Tenía las manos pequeñas, vestía muy diferente de los hombres del pueblo, y llevaba un anillo con una pequeña piedrecita, una piedra que yo no había visto nunca, y él dijo «zafiro». Hablamos del tiempo, de las castañas, de los caballos. Las crines resplandecían, mi cuerpo hervía, la sangre roja, roja, notaba cómo estallaba y se repartía en gotitas

14

como metal fundido, rojo y naranja, como el cristal líquido cuando quema, y después me subía hasta el rostro. «Tiene la cara del color de las manzanas», dijo, y se echó a reír, y cuando el ama de llaves se levantó un momento, me susurró al oído una grosería, «¿es usted de las que corre rápido, como los caballos?», y yo me mareé y negué con la cabeza, y entonces volvió ella y dijo: «ya está bien, Henry, ya está bien, la niña es de buena familia, vete a tu casa».

Ahora, tantos años después, noto que el cuerpo no me responde y sostiene un enorme peso sobre la cabeza y los hombros. Supongo que quiere decir que me han enterrado en vertical y con los brazos en cruz. Por eso todo el peso sobre mi cabeza, mi columna, justo en el espacio en que la nuca se convierte en espalda. Toda esta tierra que me rodea, arriba y abajo, es de algún material que no logro distinguir. Algo me escuece, es la sal, y esta tierra que es tan dura me produce cortes en los brazos, en las manos, en los pies. Son apenas del tamaño de una hormiga, los cortes, como cuando una hoja de papel te rasga los dedos. Pese a que el peso debería ser insoportable, ahí instalado sobre el cuello y las sienes, me siento fuerte, no siento dolor, no de verdad. Agarro un puñado y lo sostengo en la mano. Ahora lo entiendo. Esta tierra está mezclada con arena, es producto de los moluscos pulverizados de la playa, ahí arriba todo debe de ser agua y sal.

¿Qué hago aquí bajo tierra? Si me enterraron en vertical es que nadie ha reclamado mi cuerpo. Es que estoy maldita. Y lo peor, no solo estoy muerta sino que no me he salvado. Oh, Señor, estoy muerta. Confié en ti y me has dejado sola. Crucé océanos por ti para acabar insertada bajo tierra como una lombriz, ni siquiera he logrado llegar al purgatorio, cómo pudiste hacerme esto, Señor todopoderoso, Dios bendito, no te has apiadado de mi suerte. Tus ojos eran alhajas que adoré pese a todo y no he merecido nada. Fui una buena mujer, eso quiero creer, y me has condenado a la arena salada donde nada fructifica, donde nada crece. ¿Por qué? ¿Por qué me has abandonado?

Y de repente se me aparece el rostro de Anne Hutchinson, blanco y ojeroso, su cabellera suelta, sus manos blancas, delante de mí, aquí en la tierra, y comprendo.

2. CALLE DEL CALVARIO (AHORA)

Y es en esta planicie chamuscada donde empiezo esta historia. Encuentro un piso en una calle que se llama, como todas las calles de Madrid, algo sacado de un pueblo castellano católico. Creo que en Madrid me irá mejor, sí, eso espero. Casi soy optimista. Casi. En mi embotamiento, tardo en comprender las diferencias, que son en realidad tan reconocibles. Por ejemplo: todo el mundo es amable en Madrid. Especialmente por las tardes. No es hasta un tiempo después cuando comprendo que por las tardes todo el mundo está borracho. El portero de mi finca, un bielorruso que lleva el pelo engominado y un traje príncipe de gales, es el primero en darme la pista. Por las mañanas no me saluda, pero por las tardes está tremendamente pizpireto. Me guiña el ojo, me cuenta chistes verdes y se tambalea un poco. Tardo más de la cuenta en entender lo que le pasa porque el vodka no se huele en el aliento, viejo zorro.

Lo mismo pasa con el resto del barrio. Las mañanas son frescas, y todo parece dormido hasta las doce del mediodía. Después se despereza, con aires quejosos de resaca. Los camareros, los tenderos, la señora del estanco, todo es lento, como en una aldea aislada. Todo tan distinto de las noches. Al poco tiempo me doy cuenta de que he cometido un error de principiante: he alquilado un piso encima de un bar con terraza. Suena Manzanita todas las noches y cuando los vecinos imploran descanso y la taberna cierra finalmente, los coches encienden las radios y pinchan cumbia y reguetón. La juerga es el primer mandamiento de la ciudad y mi calle es su templo: un karaoke de borrachos dándolo todo a las cinco de la mañana.

Un karaoke de borrachos que está perpetuamente a una temperatura febril. Nadie me había hablado del calor de Madrid, o al menos yo había decidido ignorar cualquier advertencia. Me he mudado a mitad de agosto, lo cual implica que vivo en un horno permanentemente encendido que mantiene el asfalto caliente hasta de noche y me impide dormir. Durante semanas dejo intactas las cajas de cartón de la mudanza, incapaz de mover un músculo. Compro plantas en una tienda moderna del barrio, para animarme, y se me mueren al cabo de nada. Todo se niega a crecer en Madrid. Todo está o acaba frito.

Un día, entablo conversación en el ascensor con la vecina del piso de arriba. Es algo mayor que yo, pero no lo parece. Tiene el pelo oscuro, los ojos un poco rasgados y la piel blanca. Veo una sonrisa agradable, de dientes grandes y caballunos, se pinta los labios de color rojo y lleva vestidos floreados. Se llama Sonia. Me fijo en los muslos firmes, la piel fina, las ojeras. Usa pendientes de oro. Con voz aguda y cansada me pregunta si yo tampoco puedo dormir por el calor. Le digo que no, que no puedo. Me ofrece una limonada en su piso y acepto. No tengo nada mejor que hacer.

Su piso es bonito, luminoso. Hay estanterías de madera hechas con cajas de fruta, plantas por todas partes y muchos libros en el suelo. Me pregunto si las plantas serán de plástico. Me pregunto si será bruja y, por tanto, capaz de generar vida. También ha colocado tapices en las paredes –«para aislar el ruido», dice.

Sonia me sirve la limonada y sigue hablando. Me molesta un poco su tono de voz agudo, pero quizás es que llevo demasiado tiempo sin interactuar con nadie. Me he desacostumbrado a escuchar voces de distintas personas en una misma habitación.

–¿Vives sola? –le pregunto, simulando interés.

–Sí.

–Qué guay. –Miro los libros que hay por todas partes, en las estanterías, en el suelo, entre los muebles–. ¿Trabajas en la universidad?

–No exactamente. De momento solo estudio.

Se revuelve en el asiento. Noto cierta inquietud en la respuesta.

Sonrío.

–Yo no trabajo –digo, para tranquilizarla.

–¿No? ¿Y eso?

–No necesito trabajar.

Sonia parpadea muy rápidamente, varias veces seguidas, como un colibrí. Bzzz.

–¿A qué se dedica tu marido? –me pregunta.

–No estoy casada.

–Ah.

Bzzz otra vez.

Finalmente ha entendido lo que intento decirle. Le estoy intentando decir que soy rica.

Es una lástima que no sea verdad. Solamente tengo algo de dinero por lo que hice. Por lo que dejé que me hicieran. Y ahora tengo bastante para aguantar un año sin trabajar. Aun así me gusta ver la expresión en su rostro cuando lo insinúo. Rica. Contemplo sus diferentes estados de ánimo mientras suceden, es divertido: cierta estupefacción al principio, seguida de una envidia contenida, y cuando esa emoción termina, se condensa en algo invisible pero penetrante, que se instala como el mal olor: todo aquel que cree que eres rico quiere algo de ti. Quieren tu dinero. O, al menos, algo que se le parezca. Cuando se dan cuenta, sienten vergüenza y algo de culpa. Como sé ahora, la culpa es un sentimiento muy desagradable, que todos queremos quitarnos de encima. El resultado de toda esta oleada que pasa en apenas unos segundos es que tu interlocutor, de manera inconsciente, comienza a darte cosas sin parar, para expulsar esa sensación que tan mal le hace sentirse.

–¿Te apetece cenar conmigo esta semana? Conozco un peruano estupendo –dice–. Yo invito.

¿Ves? Nunca falla.

Esa misma noche, desde la tierra que hierve, desde ese nuevo calvario insomne, me ilumina la pantalla del ordenador. Paso horas conectada, buscando algo que me tranquilice, y hoy lo hallo en los surcos de los ríos y el mar, en mapas antiguos, en las historias de aquellos que se ahogaron antes que nosotros. Así llego esa noche, a las seis de la mañana, al retrato de una mujer que fue testigo del ahogamiento de una niña en 1642. Lo cuenta en unas crónicas transcritas en un blog, esa mujer de mirada adusta y labios fruncidos. «Las crónicas del Cauterio», reza el título del post. Leo la calma en su escrito al revelar cómo sacaron a un bebé muerto del río. Leo su nombre, Deborah Moody, una puritana que se exilió a las colonias de América del Norte en el siglo XVII. Miro su cara, parecida a la de un lechón recién cebado, y sus ojos saltones, como dos huevos duros. «La primera mujer en fundar una colonia. Realizó el primer trazado de una ciudad en el nuevo mundo», repiten en los foros sobre crímenes históricos.

Pienso en cómo abrió un tajo en la tierra, como quien descuartiza un animal sabiendo lo que hace: con los gestos mínimos, pura eficacia. Una cruz en el suelo y una plaza en medio. Tachán. Con eso creó su pueblo. Ahora es bastante más complicado, no le puedes ir haciendo agujeros al suelo por donde te da la gana. Ojalá. Si fuera así agarraría una taladradora yo misma para salir de este lugar, cavaría un túnel y me enterraría en él, segura, tranquila, sin necesidad de respirar.

La noche siguiente ceno con Sonia en un restaurante de medio pelo del centro y me cuenta que es *scort* para empresarios de la construcción. Cementeras, empresas de aluminio. Señores con puro que sellan contratos millonarios con una mamada debajo de la mesa en reservados de restaurantes con manteles hasta el suelo. En la plaza de les Glòries oí hablar alguna vez sobre ese tipo de reuniones con miembros del ayuntamiento, pero pensé que se trataba de leyendas urbanas. Leyendas de urbanismo, las llamábamos en la oficina. Jaja. Pero ahora la confidencia de Sonia me repele, no por el contenido, sino porque no me conoce. No me gusta que me lo haya contado, ahora su secreto se me adhiere como una medusa pegajosa. Al cabo de una semana decido mudarme a un piso donde no tenga que hablar con nadie. Me voy a un edificio de oficinas de la Castellana que tiene un par de áticos en alquiler. No quiero tener amigas. Ya tuve amigas y no me sirvió de nada.

II. DEBORAH Y LA PALOMA GRIS

El día en que murió Anne Hutchinson, justo a la madrugada, se posó una tórtola gris sobre mi ventana. Me despertaron sus sonidos guturales y me di la vuelta en la cama, para intentar dormir algo más, pero la piel me ardía. La vejez trae consigo una enorme cantidad de piel que debes arrastrar, como un fardo. Esa es la realidad: la vejez es flojera. Piel que cuelga, dientes que se sueltan, venas que sobresalen.

Un poco antes de que saliera el sol me resigné a levantarme, y me preparé un té negro en la cocina. La criada aún dormía y no valía la pena despertarla, el día iba a ser largo. Tantos años después y todavía echaba de menos las infusiones de hierbas insulsas de mi infancia. Pero en las colonias solo había sabores y olores fuertes, cosas que matasen el dolor y las sutilezas.

El peso del cuerpo me hizo recordar a mi madre y sus palabras: tienes caderas para parir, anchas y fuertes, es lo único bueno que dijo jamás de mi cuerpo, ella, que siempre me obligaba a llevar ropa que lo empequeñecía, que me dañaba la piel, demasiado pecho, demasiadas caderas, demasiado de todo. Pero aquel día junto a los caballos vi cómo él adivinaba mi cuerpo bajo mi vestido, lo adivinaba sin nada encima, y supe que tendría que engendrar sus hijos, y concentré toda la sangre allí abajo, la sangre que sabe a cobre pero que es de hierro fundido, y le miré a los ojos y él me aguantó la mirada.

Venga usted a merendar un día, le espeté cuando ya no pude más, y el ama de llaves susurró: «Cállate, niña, una mujer no habla, no invita, cállate», pero él dijo: «Sí, sí, iré.» Aquella noche tan atrás pensé en sus manos, y en la piedrecita del anillo, de un azul oscuro como el ojo de los pavos reales que decían que había en el palacio del rey, pensé en sus dedos acariciando la piedra preciosa hasta que me dormí.

Nos casamos tres meses después, un día de finales de febrero, ese mes que no es nada, solo una extensión de la noche oscura.

Me empeñé en llevar un vestido de color gris perla que mi madre detestó, con mangas de tul hasta las muñecas. Las pruebas en la modista llevaron un mes. Y solo nos vimos dos veces desde el primer encuentro hasta la boda, siempre acompañados. Era un matrimonio apresurado, pero que nadie estaba dispuesto a contradecir. Yo sabía que mi padre estaba aliviado de casarme, al fin.

No recuerdo nada de la ceremonia, solo sé que hacía mucho frío y llovía, y el gris del cielo era mucho más oscuro que mi vestido, y que él me dijo al salir de la iglesia que parecía una paloma de campo, con el vestido gris, los tules, los guantes perfumados bordados en plata, la única extravagancia que me permití. «Eres una paloma a la que hay que cazar, pam, te llenaré de perdigones, pam pam», decía, y se reía a carcajadas.

Cuando llegué a mi nueva casa, tan distinta de la mía, grande, oscura, llena de objetos, los fui tocando uno a uno, y me dije: todo esto es mío. Estas cortinas, estos muebles, incluso las escobas. Todo mío. Las criadas que agacharon la cabeza a mi paso alzaban luego los ojos y me miraban fijamente. Vi todo en su mirada, especialmente en las más bonitas. Esa mirada que quiere decir: por qué un hombre como él ha elegido a una mujer sin sustancia. Me agarré fuerte del brazo de mi marido para sostenerme entre todas esas habitaciones, todos esos sirvientes y toda esa novedad. Cuando hubo pasado todo, de noche, en la cama, le dije: «Creen que te has casado conmigo por mi dinero.» Y él no contestó, solamente me abrió las piernas con su rodilla.

El gris de mi vestido, pienso, el gris del cielo de mi primera juventud, tan lejano, años atrás, era justamente el gris de esa tórtola posada en mi ventana que me anunciaba que Anne iba a morir, cuarenta años después de mi boda.

3. PASEO DE LA CASTELLANA, 11 (AHORA)

No siempre fui así. Así de loca, quiero decir. No siempre fui así de cobarde. Abro una Coca-Cola Zero, trago un alprazolam y me pongo bajo el aire acondicionado. El gas me hincha el estómago pero lo engaña también. Dejo de comer. Rechazo las invitaciones de Sonia durante toda una semana. Contemplo mi imagen en el espejo. Si mi yo del pasado pudiera verme se sentiría orgulloso de mí. Finalmente he logrado estar muy delgada, ahora que ya no importa nada. Tantos años de medir obsesivamente mis caderas, esos cúmulos de grasa que se depositaban, uno encima del otro, sobre mi abdomen, cuando me los habría arrancado si hubiera sido posible. Las vomitonas, los laxantes, el castigo. Todo ese tiempo empleado en quejidos lastimeros como si fuera un perrillo apaleado. Estúpida. Bastaba con dejar de tener hambre. Si yo estuviera verdaderamente aquí, si mis amigas estuvieran aquí conmigo, sentiríamos juntas el placer de comprobar cómo, día tras día, se reduce el contorno de mis muslos, cómo mi clavícula se afila, cómo pierdo masa muscular. Mis amigas aplaudirían, seguro, pero no están aquí conmigo, hace tiempo que las perdí.

Un relajante del sistema nervioso es una bomba temporal. Se destensan las cervicales, puedo sentir cómo el cerebro adquiere la consistencia de una esponja marina. Se llena de huecos, tan necesarios.

Desde el cristal tintado de mi apartamento miro a los oficinistas que, trajeados, hacen la pausa del café frente a mi portal. Es media mañana. Un hombre de unos treinta años, con corbata azul cobalto y unas patillas algo más largas de lo usual –debe de tratarse del rebelde de la empresa de seguros en la que trabaja–, coquetea con una rubia de pelo largo y vestido color crema. Imagino sus uñas de manicura francesa pintadas a juego con el vestido. Los pies morenos, los dientes blancos. El alisado japonés. Fantaseo. Ella vive en Chamberí pero es de Valladolid, adonde regresa cada quince días a ver a su novio de toda la vida en un Renault Twingo. Él es de las afueras de Madrid, y su personalidad consiste en que escucha a Vetusta Morla. Él querrá follársela por detrás en la primera cita, se sentirá culpable, se conformará con una paja y después de tres quedadas logrará su capricho. Ella se dejará, no volverá a Valladolid ese fin de semana, ni el siguiente, con la excusa del trabajo. Para ese momento ya serán novios oficiales con el moderno y él no podrá decirle que lo que realmente quiere de ella es que finja ser un niño de doce años al que le encanta el semen.

Yo no siempre fui así.

Hubo una época en la que no me despertaba a las cinco menos cuarto de la mañana –ahora es así, nunca a otra hora– para ojear catálogos de alfombras de Anthropologie. No pensaba, día tras día, que iba a morir. Ahora reviso mi epidermis obsesivamente. Busco síntomas del sarcoma de Kaposi. Me tomo la temperatura. Veo cómo retroceden mis encías por la falta de vitaminas. Cuando siento que debería hacer algo, compro la misma ensalada César en el supermercado, en mi única salida, y la ingiero en un banco, a cuarenta grados a la sombra, justo antes de volver a casa y tumbarme de nuevo en el sofá. Me salen ampollas en la lengua por el exceso de sal, por la deshidratación. Compro ropa en tiendas online, acumulo bolsas de plástico y caigo en el agujero negro del sueño químico.

Supongo que hubo una época en la que se podría decir que era feliz. Lo compruebo por el rastro digital que he dejado en las redes, que es el rastro translúcido que deja una babosa. Yo no recuerdo nada. Pero parece ser que tenía un trabajo normal, un horario, salía a cenar, tenía amigas, me cortaba el pelo. Tenía opiniones muy fundadas sobre política nacional e internacional. Leía libros, coleccionaba el *New Yorker*.

Sin recuerdos, con el cerebro hecho una esponja, pero sí con una letanía que resuena de toda aquella época: nos había llegado la historia, a mis amigas y a mí, de aquella chica que había enloquecido de verdad. Enloquecer y ser humillada nos parecía lo peor del mundo. «Se ha obsesionado con un tío casado, tía», decía mi amiga, «y ahora va haciendo el ridículo por todas partes. Se presenta en su lugar de trabajo y llora. Llora a todo el que quiera escucharla. El tipo ha pasado de ella, solamente estaba matando el rato, se aburría.»

Matar el rato, desollarlo, hacerlo a la parrilla con algo de salvia y mantequilla, pienso. Emplatar el rato y servirlo con un buen burdeos. Eso hizo ese tipo. Bien por él. Mientras aquella chica a la que no conocía lloraba en público en todos los conciertos, en las cenas, en todo acto social que se precise, allí estaba ella, negándose a avanzar, el rímel corrido, las manos nerviosas, con un vestido acrílico y unas medias algo roídas.

¿Sabes? Yo era tan feliz que me reía de ella. Yo era tan feliz, estaba tan tranquila, que me agarraba a ti del brazo y te contaba todo lo que había sucedido de camino a casa.

Ah, sí. Tú.

Deberíamos hablar de ti, ¿no? Deberíamos.

III. DEBORAH Y EL CAUTERIO

En mi recuerdo la curandera tiene los ojos blancos, del color de la leche, es el mismo color de los ojos de los africanos que deambulan por la colonia, aterrados, sin reconocer nada de su entorno. «Un puerto es como una boca abierta, puede llenarse de las más hermosas maravillas, pero también de infecciones», eso decía Anne Hutchinson, siempre preocupada por salvar, limpiar, desinfectar todo lo que veía, incauta, sin mirar en realidad qué es lo que pasaba a su alrededor. Anne compadecía a los africanos que se arrastraban por el puerto y perdían la razón, tan lejos de su tierra. Los veíamos caminar lentamente, pidiendo dinero, comida, un techo. Anne Hutchinson, con sus manos pálidas, maltratadas de tanto trabajar, con su sonrisa exacta y su voz aguda e inteligente, siempre dispuesta. En cambio yo miraba sus caras jóvenes, adolescentes, y tenía miedo de ellos. Yo ya era vieja. No me daban miedo porque fueran diferentes, al fin y al cabo esclavos hay en todo el nuevo mundo, lo mío no era pacatería. No necesitaba salvarles como Anne, que los metía en su casa, junto a sus hijos, e intentaba educarles en el amor a Dios y la vida recta. Yo entendía que cambiar de mundo puede volverte loco, mucho más loco que otra cosa. Yo miraba el velo que les cubría los ojos a los esclavos cuando desembarcaban en América, el mismo velo que tiene la leche cuando la hierves: una membrana molesta que lo cubre todo. Si pudiera tocarlo sería de terciopelo, pero me quemaría las manos cada vez, como cuando era niña. Siempre intentaba tocar el cazo y recuperar ese velo untuoso que no sabe a nada y se escurre entre los dedos. Pero había pasado mucho tiempo desde la infancia.

Muchos años antes de ahora, antes de ser vieja, la curandera me mira con esos mismos ojos lechosos y me abre las manos. Estamos en su cabaña, que huele a cuero y a pelo de algún animal. Al fondo, el carbón de la chimenea y un par de platos con un guiso. Me lo ha ofrecido al llegar, pero no puedo comer, estoy demasiado nerviosa. No debería haber venido, me he escapado de la vigilancia del ama de llaves para llegar hasta aquí. Allí podrán ayudarte, no lo hables con nadie, había dicho mi prima mayor, cuando, desesperada, le conté de mi angustia, que no me dejaba dormir. Y por eso estoy ahora frente a la curandera, que me agarra las manos abiertas entre las suyas, que son calientes y firmes. Ella es gorda y muy afable, y eso me sorprende. Esperaba otra cosa, unos ojos inquisidores, supongo. En ningún caso una mujer maternal y cálida. Ella se ríe y me hace sentirme bien, siento que podría decirle lo que quisiera, todo lo que quisiera. Acaricia mis manos abiertas hasta encontrar la base de los dos pulgares, que presiona con los suyos. Noto una punzada de dolor y ella sonríe.

—Estás muy tensa y tienes el pulso errático. ¿Duermes mal?

Asiento.

—Tienes los nervios destrozados, niña.

Suspira y me pide que me siente en una mecedora, que

cierre los ojos y abra los brazos en cruz. Cuando lo hago oigo el crujir de la madera, y su aliento, que se acerca. Al instante, refriega mis extremidades con sus manos, como intentando que entren en calor. Lo hace durante un tiempo indeterminado, hasta que todo mi cuerpo responde y dejo de tener frío, hasta que me he acostumbrado al olor de su casa.

Oigo el crepitar del fuego y una silla que chirría, intuyo, bajo su peso. Carraspea.

–Abre los ojos y cuéntame a qué has venido.

Su cara redonda, de ojos rasgados y sonrisa amplia, está frente a mí otra vez. Miro sus dientes separados y algo grises, su rostro agradable, lleno de pecas. Parece una niña, no una curandera, pienso.

–Me voy a casar.

–Eso ya lo sé. Lo sabe todo el condado. Te casas con un Moody, un comerciante, un hombre que hará carrera política. No está mal. No serás pobre, si es eso lo que te preocupa, él está bien relacionado.

–No.

–Qué quieres saber exactamente. ¿Si vas a tener hijos?

–No. Quiero saber si debo casarme o no.

–Eso no es una pregunta. Toda mujer debe casarse. No es por eso por lo que has venido.

No respondo. La mujer toma mis manos entre las suyas otra vez y las frota. Se ha dado cuenta de que vuelven a estar frías, pese al fuego.

–Túmbate –dice. Y señala una cama cubierta de pieles de animal, que parece mullida y cómoda.

La curandera enciende una ramita que desprende un olor muy fuerte y oigo el tintineo de unas campanillas. Abro un ojo y veo que me está recorriendo el cuerpo con la rama, creo que de sándalo, apenas a varios centímetros de la piel.

31

–¡Cierra los ojos o no funcionará! Escúchame. Vas río abajo en una barca –dice–. El río es largo y tiene algún salto, hay rocas. ¿Qué ves?

–Veo a mi familia en la orilla. A mis padres. Ellos me ven pero no pueden alcanzarme.

–Y qué más.

–Alguien va a mi lado en la barca pero no distingo su rostro.

–No importa, ya tendrás tiempo para descubrir su cara.

–¿Es mi marido?

–No importa, no hagas preguntas. ¿Qué más ves?

–La barca se agita, la persona que está a mi lado la mueve, creo que vamos a caernos. ¡Y el agua está muy fría! No me quiero caer.

–No te caerás, agárrate bien.

–Veo otra cosa..., no sé muy bien qué es..., una piedra gris, pulida, hermosa, con destellos de colores.

–¿Un diamante?

–No, no, es una piedra gris, pero en algún punto tiene colores muy vivos, verdes, azules, violetas, brillan en la oscuridad. Jamás he visto algo así. Es hermoso.

–¿Cómo se llama? ¿Puedes nombrarla?

–No tengo una palabra para algo así. No he visto jamás algo como esto.

–Intenta encontrar la palabra.

Siento que un nombre se me escapa de la boca como una pompa de jabón, como un huevo saliendo de una gallina, resbaladizo, una presencia enorme y redonda que no estaba aquí hace un minuto. Ópalo.

–Es un ópalo –digo.

–Esa palabra no existe, Deborah.

–Sé que se llama así. La piedra que veo se llama ópalo.

Cuando abro los ojos, la curandera me mira con los ojos

achinados, sus ojos blancos como la leche, y está muy seria, ya no sonríe. Va hasta una alacena y trae una botella y dos vasos. Los sirve y me ordena:

—Bebe.

Lo hago, y noto cómo baja un aguardiente muy fuerte por mi garganta.

—Hacía tiempo que no veía algo así. Un mineral tarda miles de años en crearse, apenas cientos en descubrirse y unos segundos en ser nombrado. Has encontrado algo que todavía no ha sido descubierto, pero que ya estaba allí, enterrado y esperándote. Le has puesto nombre. Tú crees que has venido para saber si tu futuro marido te quiere pero en realidad Dios te ha traído hasta aquí porque tu misión es mucho más importante, aunque solo seas una simple mujer. Olvídate del amor, no es lo que marcará tu destino. Ninguno de los hombres de tu vida importará mucho. Estás aquí para que yo te cuente qué va a ser de ti. Y esto es lo que veo: viajarás dos veces y habrá mucha agua en tu camino. Tu tránsito te hará encontrarte con hombres anodinos pero capaces: todos te traicionarán. A ellos les darás todo tu poder sin que te den nada a cambio, pese a saber lo que te acabo de contar. Esa será tu tragedia, y aunque lo sepas, no podrás modificar tu destino. Habrá oro y habrá sangre. Pero, sobre todo, te encontrarás con un ángel de pelo rubio; cómo te comportes frente a él determinará tu futuro. Acuérdate del ángel, por encima de todo lo demás.

La mujer rebusca en su bolsa.

—Te daré algo para protegerte.

De una bolsa de cuero extrae un instrumento largo, plateado, con una curva en un extremo y un mango de madera.

—Esto es un cauterio. ¿Lo ves? Cuando lo calientas al fuego, cambia de color, puede ser ceniciento, rojo cereza, rojo oscuro, y sirve para curar. Puede aislar las infecciones con la quemadura. Te servirá para purificar aquello que necesites salvar. Es importante que te mantengas sana. Eres joven, pero aún tienes un larguísimo camino por delante.

Las manos y las piernas me hormiguean, y la curandera me ordena que me levante. Me acompaña hasta la puerta de su cabaña y mientras guardo el objeto de plata en mi capazo me dice:

–No lo olvides, junta fuerzas ahora. Vivirás lejos de aquí, Deborah, muy lejos. Irás a sitios que no han sido nombrados y que, por lo tanto, parecen no existir, como la piedra que has visto. Pero te sucederá algo inaudito: harás el tránsito dos veces, vivirás aquí y en otro lugar cerca del mar. No olvides que el camino, para ti, será más importante que el destino. Acuérdate del camino y de sus piedras. Y del ángel, sobre todo del ángel y de su hermosa cabellera. Ese ángel lo determinará todo.

4. CALLE ALMIRALL BARCELÓ (ANTES)

Nuestro verdadero principio, el que de verdad importa, se sitúa en una bodega de nombre irrelevante, en la que tres mujeres que rondan la treintena se emborrachan lentamente, en una de las calles más estrechas de la Barceloneta, una en la que no entra el sol jamás.

El espacio es importante para el relato. La madera está pulida, los suelos son de mosaico, la barra de mármol. Acaba de estallar en Barcelona la recuperación de bodegas antiguas de vino a granel, con sus barricas barnizadas, el precio del litro de vino dulce escrito a mano. Les llaman bodegas pero solo son bares caros, donde la gente se toma una caña que consideran bien tirada, un vino normalito y unos mejillones de lata a precio de oro y todo el mundo se siente *de barrio* y *auténtico*. Con el tiempo he entendido que *de barrio* y *auténtico* suele querer decir sucio y sin migrantes extracomunitarios o turistas daneses. El barcelonés, con sus bares, es racista sin complejos. *Primer els de casa.*

Mis dos amigas me miran, expectantes. Todas sabemos que es mi momento. Yo contemplo sus pupilas dilatadas, cómo me miran con la boca semiabierta, esperando a que empiece. Estiro el instante, me detengo, las contemplo. Las dos visten vaqueros y camisa primaveral, huelen bien, llevan pulseras en las muñecas de un viaje que hicieron juntas a Bolivia, y comparten el tatuaje de una llama perpetrado allí, en una noche loca. Cuéntanoslo todo, dicen, mientras mascamos un embutido extremeño mediocre a dieciocho euros la ración.

–No sé, fue muy raro.

–Empieza desde el principio.

–Pero si ya lo sabéis todo.

–¿Cuándo os besasteis?

–En el tercer bar, no me acuerdo.

–¿Cómo no te vas a acordar?

–Yo qué sé, no me acuerdo. Además, ¿qué más da? De eso hace ya dos meses. Llevamos dos meses juntos.

–¡Sois novios!

Mis amigas chillan felices como dos pájaros estridentes, dos cotorras de las que hay subidas a los árboles más altos por las avenidas, esa es su risa exacta. La gente de la bodega nos mira durante un momento y nos veo desde fuera, tres treintañeras que gritan, mientras beben cerveza, una tarde primaveral. Mis amigas aplauden, esto es una fiesta, pero no sé muy bien de qué. Se acercan en modo conspiratorio al centro de la mesa y piden más datos. Necesitan rellenar fichas internas, formularios mentales, hacer cálculos y raíces cuadradas de las posibilidades de nuestra relación. De las posibilidades de que esto, por una vez, funcione. ¿Qué hay de malo en este relato?

Piden más cervezas al camarero con un gesto, y exigen más, más de todo. Así que me vengo arriba y sigo relatando cómo nos encontramos en la barra del bar al que solemos ir las tres, en la calle Botella, en el Raval, y que le reconocí de una reunión del ayuntamiento, era uno de los pocos de nuestra generación que no parecía un oficinista de banco.

«Me gustan sus patillas», digo, y suena ridículo. Resumir a la persona que te gusta es siempre una estupidez, los datos concretos resultan absurdos, ¿cómo describir a alguien que te gusta? Es como si estuvieras hablando de un mueble, o de unos zapatos. Les relato cómo me miraste desde lejos y le dijiste a la camarera algo que más tarde supe que era «me gusta esa chica», y que te acercaste a saludarme, y sonaba algo de rockabilly, que yo detesto, pero fingí que me interesaba porque por tus patillas te tenía que gustar el rockabilly. Charlamos de grupos musicales, de lo aburridas que son las reuniones del ayuntamiento, y vi un destello en algún lugar de tu cara, una invitación que me hizo pensar que algo era posible. Admiración, creo. Escuchabas mucho, hablabas poco. Te reías de lo que yo decía. Sentí que había algo en mí que era importante. Que en ese instante, en ese bar, estábamos fundando algo. Que tendrían que poner una placa, algún día, sobre nosotros en ese lugar. *Aquí empezó todo: invierno de 2012,* una placa conmemorativa de esas de bronce, discreta, con las letras grabadas y pintadas en negro.

Pero eso último no lo digo. Solo murmuro algo sobre que eres sociólogo, que trabajas en el ayuntamiento, como yo. Que te gusta cocinar.

Las dos cotorras abren los ojos, se les dilatan las pupilas, y una pregunta su apellido y por supuesto le conoce porque Barcelona es así, todo el mundo se conoce, y dicen más, más, más y mascan la historia y la mojama que hay en el plato y yo sigo narrando: me dijo que soy la mujer de su vida, me dice que quiere hijos, y ellas aúllan de placer, y entonces ya no son pájaros sino lobas que amamantan, enfurecidas e insaciables. Ya sé, me digo. Esta es la fiesta de la monogamia, se me había olvidado que ahora pertenezco a este club. No siempre he pertenecido a él. Pero es mejor pertenecer a él que no hacerlo. Le da sentido a todo. Es un club pegajoso, cómodo, monocorde, como un sedante.

Preguntan: «¿Cuándo os vais a ir a vivir juntos? No deberíais tardar.» La que le conoce, porque en Barcelona todo el mundo se conoce, dice: «¿Has visto a su ex? No, la otra, la rubia. Es bastante graciosa pero está loca, loca de verdad, no como tú, contigo será feliz, tú no le harás sufrir.» Lo importante de todo esto, pensamos las tres y no decimos, es no ser una loca. Y me acuerdo de la chica de las medias roídas, y no sé por qué me la imagino con el pelo empapado bajo la lluvia, como si acabara de salir de un río, perdida, insomne. De repente siento una desazón que no sé de dónde viene.

Antes de pedir tres cervezas más y cambiar de tema finalmente, tomo nota mental de cuáles son mis deberes: mirar las fotos de su ex en las redes, comprobar si ella parece feliz, si sigue viviendo lejos, en otra ciudad, si está en pareja, si se comunica con él alguna vez. Si todavía le desea, ese trofeo que acabo de adquirir en forma de hombre, así pensaba yo, así, en esa bodega, cuando todavía trabajaba, tenía horarios y futuro, cuando formaba parte de aquel entramado de calles grisáceas que se parecen al hongo de la corteza de los árboles, salía por las noches y tenía resaca los sábados, cuando aún recordaba nombres y caras y tenía una vida, cuando aún tenía una vida funcional y no estas cuatro paredes de cristal en un verano infame.

No como ahora, que, día tras día, al despertarme, me digo: «Estoy enferma, alguien me descubrirá, tengo la sangre enferma, alguien me castigará: nadie sale vivo de todo esto.»

IV. DEBORAH Y EL MERCURIO

La tierra calcificada sobre mi frente me recuerda a mi juventud. El peso de la arena es igual al peso del hombre: constante, no cede jamás.

En todo este tiempo bajo tierra le he dado vueltas a mis primeras noches en la nueva casa, y el manto verde y frío a mi alrededor. Rododendros, hiedra, azaleas. He recordado los primeros meses, cómo intentaba hacerme con la casa. Hay varias cosas que le cuentan a una mujer de mi posición, pero que a mí nunca nadie me explicó porque mi madre dejó de hablarnos muy pronto a mi padre y a mí, más allá de lo imprescindible en la mesa. Cuando me crecieron los pechos, me miró las caderas con asco, murmuró que era «ancha como una vaca» y se recluyó en las Escrituras. Me dejó a cargo de las criadas, que no tenían la autoridad para darme a entender nada a mí, la heredera, la hija única.

Una de las cosas que nadie me explicó es cómo organizar una casa. ¡Cuán sola me dejó mi madre ante la vida! Me lanzó a un hombre como quien lanza una prenda de ropa al cesto, sin muchos miramientos, y volvió a encerrarse en sus silencios y sus rezos. Mucho más adelante comprendí que llevar la casa se parece bastante a manejar un navío, siempre hay trabajo que hacer, órdenes que dar, superficies que limpiar, anticiparte a todo. No hay descanso, y mucho menos un sueño dulce. Mandar airear alfombras, alisar sábanas, cambiar colchones. Decidir qué hacer con las ocas, las vacas y los cerdos, cuándo servir qué platos a qué comensales. Sí, los comensales. Mi marido ofrecía cenas opíparas para establecer relaciones con los hombres más influyentes de nuestro condado y pronto entendí que, como yo era la señora de la casa, él esperaba un orden natural de nuestra vida en común, una vida organizada. Esperaba un orden natural en la manera de presentar nuestras posesiones. Vajilla de plata o de porcelana, cristal pintado en oro, maderas pulidas. Todo aquello que me había sido dado y a lo que, en consecuencia, jamás había tenido que prestar la más mínima atención.

Otra cosa que no me contaron es que después de yacer con un hombre, el hombre se ausenta. Nadie me explicó eso del matrimonio. Te casas y te atas a un territorio y a un hombre. Te conviertes en un mueble más y él desaparece. Él gestiona tierras, cuenta dinero, y tú llevas una casa. A ella y a él estás encadenada, a esas piedras, a esa argamasa, a esas cuatro vigas. Eso eres y eso serás siempre: te conviertes en madera seca, en paja que crepita, en lana que pica. Solo por las noches, y muy de vez en cuando, vuelves a tener cuerpo y sus manos acuden a él, y lo amasan y lo mueven y lo vuelven líquido. Hasta entonces, inerte. Antes y después.

Empecé a depender de esas visitas, cuando mi marido llegaba borracho y excitado y se tumbaba encima de mí. Si solo así existía, qué mejor que existir entonces. Solo ahí tenía sentido todo. Esperaba una y otra vez ese acto de reconocimiento, esa posibilidad de que al mirarme fuera algo más que una res, que una silla. Durante ese breve tiempo todo el poder recaía sobre mí, yo era una reina con una corona que centelleaba, y cada gota de sangre que corría por mis venas era mercurio líquido. Podría haber matado a un animal de una dentellada, no tanto porque él fuera mío sino porque finalmente yo existía, y junto a mí las palabras, los ritmos y el lenguaje. En ese surco, durante ese instante.

Llevaba poco tiempo casada cuando mi cuerpo se volvió rotundo, y lo hizo muy rápidamente. La piel mucho más delicada y suave, me cambió el olor. Mi pelo, de un color poco definido, se oscureció y todo a mi alrededor adquirió otra consistencia, parecida a la piel de una fruta cuando se tensa, justo antes de reventar. Era en esos días cuando más le deseé y más le rogué a Dios que le dejara conmigo, porque nada era suficiente para mí. Él se quejaba y decía que no podía estar siempre en casa, que tenía asuntos que atender. Yo apretaba los dientes y nada me bastaba y me tiraba del pelo y me hacía trenzas que anudaba más arriba de las orejas, unas trenzas que me tensaban las sienes. Así sentía que algo me asía a este mundo, que no iba a echarme a volar, de tanta necesidad.

Fue mi madrina la que, en una visita, miró a mi madre, que permanecía impasible, y me llevó a una esquina y me reveló lo que era evidente para todos menos para mí: «Estás encinta, ¿cómo no te has dado cuenta?»

5. CALLE HERMOSILLA (AHORA)

En ocasiones entro a tiendas de Zara. Tengo cuidado de no hacerlo demasiado desde que estoy en Madrid. Cuando siento que lo necesito, planifico cuidadosamente cómo y cuándo, siempre en día laborable, entre las diez y las doce, en tiendas en barrios caros y tranquilos, de calles reticuladas y edificios blancos con artesonados parecidos a la nata montada, donde ni clientes ni dependientas me molestan. Intento dosificar esas excursiones, pero cuando las necesito, me arrastro entre comercios de vestimenta de caza y cafeterías de estilo vienés de la zona hasta que llego a mi propio templo. En el momento preciso antes de entrar siempre hago una pausa, para no gastar la emoción que me embarga justo cuando paso el umbral de los detectores de códigos de barras.

Sí, las tiendas de Zara son para mí una ofrenda, algo tan preciado como una joya pulida con esmero. Las tiendas de Zara son mis zafiros, que saco a pasear solamente en los días señalados. Son algo parecido a un homenaje, el equivalente a un baño caliente y relajante. Cuando voy a una, lo primero que me golpea es el aire acondicionado, que, en vez de repelerme, me hace sentirme segura. Las tiendas de Zara son mi particular líquido amniótico, en el que me mezo por sus suelos color hueso, por sus superficies de mil, dos mil, tres mil metros cuadrados distribuidos regularmente, de manera minuciosa, en varias plantas. No hay nada más seguro que este espacio. Camino aletargada en círculos regulares alrededor de las prendas. Nunca miro la ropa, aunque aparento hacerlo. Sopeso texturas de la temporada otoño-invierno, con pasos amplios y lentos. No me paro. Parece que contemplo los falsos cachemires, las lanas, los botones de plástico, los suéters agrupados por una variada gama cromática que se parece a la bandera del arcoíris. Simulo ser una clienta más, finjo extremadamente bien. Parezco una mujer desocupada, con tiempo libre, que pasea entre el *brunch* y una sesión de radioterapia facial. Mientras deambulo, el hilo musical de *chill out* ibicenco no me molesta, la versión *easy listening* de «Come As You Are» de Nirvana no logra nada de mí, no estoy aquí por eso.

Mientras aparento ser una ociosa clienta en el barrio de Salamanca un martes por la mañana a finales de verano, el olor de la tienda, una mezcla fresca difícil de describir, me acelera el pulso y la respiración.

Cuando llega por fin, en oleadas, me agarro a un cúmulo de perchas con jerséis color sorbete para no caerme, presa de la emoción. Soy adicta al ambientador de Zara. Solo su olor me transporta.

Se me nubla la vista y finalmente pasa. Llegan imágenes de copas de vino blanco a la orilla del río Sena, un bosque en verano, los moscardones irisados zumbando a mi alrededor. Puedo ver un arroyo del color del interior de una botella verdosa, y cómo cae en cascada. Puedo ver cómo mis pies pierden el color al adentrarse en el agua, por el frío. Las risas de unas niñas, muy a lo lejos. Un cuenco de frambuesas en la puerta de una cabaña, en el campo.

Una biblioteca llena de lomos forrados en cuero, donde paso las mañanas lluviosas en silencio. Este día en particular, creado solo para mí, es 1994 y soy una estudiante de Historia del Arte, y me estoy especializando en Renacimiento italiano. Llevo el pelo en una coleta y me arrebujo dentro de un jersey de lana sin tratar. Mis dedos largos y finos pasan páginas de un tratado antiguo, y estoy a punto de conocer a Evan o Nathaniel, el nombre varía según el día, eso no importa, lo importante es que será mi marido. Le veo al otro lado de la sala, una presencia masculina, fuerte. En mi ensoñación no siempre tiene cara, la mayoría de las veces es simplemente un esbozo de media melena, gafas de concha y brazos y piernas muy largos. Siempre tiene el cuerpo del mismo hombre, de El Inglés, y en ocasiones su sonrisa, pero ahora no quiero pensar en él. Ahora solo pienso en Evan o Nathaniel, en cómo nos miramos de un extremo al otro de la sala y en cómo se acerca. Me pregunta por un libro, tiene la voz grave, yo me ruborizo y me escondo dentro de mi jersey. Un segundo después, otra imagen: una estancia en Edimburgo, un posgrado en pensamiento especulativo. Evan o Nathaniel viste una chaqueta de tweed con una sudadera con capucha debajo, sé que se ha dejado barba y me besa con amor, y me coge la cara con las manos. Su mirada es tan pura que cuando me pide que viajemos a ver a su familia a Finlandia, donde viven, se me llena el pecho de amor y tranquilidad. Un segundo más tarde, la propuesta: ¿deberíamos quedarnos a vivir en Helsinki? Los dos estamos a gusto en la ciudad y podemos progresar en nuestras carreras. Nos miramos a los ojos, pensamos en un futuro en común, y tímidamente nos confesamos lo que realmente queremos: dos hijos, que tenemos al año siguiente, dos niños hermosos, rubios. Somos padres jóvenes, guapos y aventurados que caminan por campos de trigo en verano, las dos criaturas corretean a nuestro alrededor. Comemos queso y uva recién vendimiada. Hacemos el amor lentamente varias veces por semana, tenemos amigos que diseñan joyas, que hacen arte electrónico comprometido, que se preocupan por la vigilancia de sus dispositivos móviles, que hablan del cambio climático. Nos veo en nuestras vacaciones en una casa compartida en Sicilia, alrededor de una mesa puesta, sonriendo y bebiendo vino de la zona, todos cuidando de nuestras crías, riendo al atardecer.

La fragancia de los establecimientos de Zara se distribuye por medio de vaporizadores manuales, pero también está conectada al aire acondicionado, de modo que llega a todos los rincones e impregna toda la ropa. El olor a flores frescas, a madera y a algún tipo de incienso llega a mi pituitaria y me llena de recuerdos falsos que deseo con tanta fuerza haber tenido que, en ocasiones, cuando no controlo bien los tiempos del bajón, cuando alguna dependienta se acerca a mí para molestarme, siento cómo asciende por mi cuerpo una rabia feroz, una rabia que quema como una llama azul de hidrógeno, una furia desatada que me ciega la vista y que me podría llevar a golpear a alguien. Solo con un esfuerzo sobrehumano logro, finalmente, controlarme. Solo la mezcla exacta de lorazepam y fluoxetina. Justo en ese momento, mientras pierdo todo lo que nunca tuve, algo que jamás existió, a Evan, a nuestros hijos, a todos nuestros amigos, mientras pierdo esa casa que he decorado primorosamente con alfombras tejidas a mano y loza francesa, mientras todo eso se desvanece, acabo llorando desconsoladamente en algún Zara de la ciudad. Yo merezco esa vida. ¿Por qué no la tengo? ¿Quién me la robó?

En esos días, los peores, tengo que pararme en un VIPS a tomarme un chocolate caliente, o unas Oreo fritas, o unos huevos benedict con salsa bearnesa, con la cara bañada en lágrimas, tras tantos días sin comer. Solo eso me tranquiliza. Otros días, los menos malos, cuando puedo regresar yo sola de mi viaje interior, me consuelo pensando en que hay dos mil doscientos treinta y dos Zaras en el mundo y que todos huelen exactamente igual. El de Londres, el de Dubái, el de São Paulo. No me hace falta viajar. No es necesario. Aquí, entre botas de charol y brillo de labios color cereza, lo tengo todo, nada me falta.

V. DEBORAH Y LA FIEBRE

El embarazo fue pesado y difícil. El servicio se volcó en mí, como un engranaje bien engrasado. Las criadas se desvivieron para que no me faltara de nada, y como lo único que podía soportar comer era pescado de río y todo lo demás me sabía a nada, cada mañana alguien del servicio salía a pescar y volvía con truchas o barbos, que la cocinera preparaba para mi desayuno, comida y cena. No me cansaba nunca, pese al asco que le provocaba a mi marido, que aguantaba mis caprichos por puro cálculo: llegaba un heredero y ese era mi momento. Cada tarde se cambiaban las sábanas, porque yo no soportaba ni el peso de las más frescas hechas de lino. Así estuvimos hasta entrado el invierno, cuando empezaron las primeras contracciones.

Comenzó con un dolor lacerante, como un rayo, que casi hizo que me desmayara junto a la bañera. Inmediatamente pensé en mi marido, que estaba de caza con un vecino acaudalado. Sentí el suelo frío y húmedo en la frente, del tacto de una babosa, y alguien fue a llamar a la matrona. Me tumbaron enseguida en la cama. La matrona era ágil y rápida, no perdió el tiempo. Me dijo que no tendría problemas, dada mi constitución, y empezó a dar órdenes.

47

Trajeron perfumes y agua caliente, paños y hierbas sanadoras, y me dijeron que respirara. Respira, dijeron. Aguanta, dijeron, y yo sentía que una llama ascendía desde mis pies por la piel y me quemaba y helaba a la vez. Pedía agua y hielo, agua y hielo, me abraso, y después me helaba de frío y me dolía todo. Pasaban eternidades y yo oía voces, eres fuerte, sigue, sigue, y todo mi peso se concentraba en mi vientre, y notaba culebras y fuego y cómo se entremezclaban, y centelleaban destellos verdes y amarillos color hiel, sentía algo que se amasaba entre mis piernas como un barro, y crecía con escamas y lengua bífida, y yo pedía que me lo sacaran, sacádmelo ya. Después, la cara desfigurada de la matrona y apenas unos susurros, «tiene mucha fiebre, no va a aguantar mucho más» y un olor dulce y repugnante al final, que entonces no comprendí pero que más adelante reconocí: era el olor de la podredumbre y de la muerte. Tardaría muchos años en volver a identificarlo.

Cuando mi marido regresó ya me habían dicho que había parido a un niño muerto. Él no volvió a mi lecho jamás. Había apostado mal sus cartas, lo vi en sus ojos. Entendí que yo le asqueaba y que no había nada que hacer.

No recuerdo mucho más de aquellas semanas. Solo que cuando me recuperé y regresó el color a mis mejillas le hice llamar y nos encontramos en su biblioteca, el espacio donde él remataba los negocios.

–Te has quedado mis tierras y mi dinero, pero no parece que vayamos a tener descendencia –le dije–. Si quieres que vivamos así, sin apenas vernos, me parece bien. Pero al menos hablemos abiertamente, convengamos cómo lo vamos a hacer.

Mi marido me dio la espalda. Qué cosas, los hombres. Eso lo recuerdo como si fuera hoy mismo.

–Quiero hablar contigo –dijo–. Tú eres una mujer temerosa de Dios, y tu obligación es darme hijos. No parece que eso sea posible, al menos no de momento, y no creo que te interese un divorcio. Ves, de solo mentarlo te conviertes en un fantasma, del miedo que te da. Ay, beata. Pero por mí no te preocupes, mi linaje seguirá existiendo. Aunque algo sucio, claro está. –Justo entonces se dio la vuelta y me miró a los ojos. Inspiró fuerte antes de decir lo que estaba a punto de decir, que lo cambiaría todo–. Tengo un hijo natural.

Apreté los dientes con tal de no llorar ni mostrar sorpresa. Conté. Uno, dos, tres. Conté las briznas de hierba que se veían desde la ventana. Sopesé bien el aire, el peso del plomo que acababa de caer sobre mis hombros, y mientras terminaba de un plumazo mi juventud le pregunté:

–¿Cómo se llama?

6. PLAZA JAUME SABARTÉS (ANTES)

La terraza está soleada. Es uno de esos días de final de primavera típicos de Barcelona: húmedo, fresco y lleno de luz. Por eso estoy en la terraza, disfrutando de la mañana. El piso es pequeño y más o menos barato, teniendo en cuenta que está en pleno centro. Es cierto que tiene humedades y paredes muy finas, pero también dispone de una buena terraza, que es su mejor cualidad, eso dijo el de la inmobiliaria cuando lo fui a visitar, «¡tiene terraza!», y por eso sube el precio cada año, como si le jodiera personalmente que alguien pueda disfrutarla, como si me impusiera su propia tasa turística. Así que, siempre que puedo, me instalo en ella, como si fuera un lujo indescriptible, un spa tailandés, y contemplo las vistas. Hace no mucho acabaron de remodelar la plaza. Poca gente sabe que bajo el pavimento se esconden algunos restos íberos, de los layetanos que poblaron la ciudad: piezas de cerámica, balas de bronce y algún otro objeto de metal —escalpelos, cauterios— para tratar a los enfermos. El ayuntamiento decidió no paralizar la obra y lo cubrió todo con tela asfáltica y grandes losas de piedra brillante, por las que ahora pasean los turistas y los pocos vecinos que quedan en el barrio.

Desde la posición en la que estoy, recostada en una silla, puedo ver el mar y cómo pasan, regularmente, los aviones. Mientras sostengo un libro en el que me estoy intentando concentrar no puedo sino comprobar que necesitamos hacer algo con la humedad que agrieta el recubrimiento de cemento del murete. La pintura se está comenzando a abombar y con la fuerza ridícula de mi dedo anular puedo atravesarla. Debajo, arenilla. Esas humedades empiezan a hacer mella, pienso. Antes no me importaban, cuando vivía sola, pero no se puede tener la terraza en ese estado cuando vives con alguien.

Desde que te mudaste a este piso han cambiado muchas cosas en casa. Y lo han hecho como en un estado de duermevela: algo que sucede sin que se sepa muy bien cómo ni por qué. Viniste tres meses después de conocernos, y ahora las paredes son de color blanco marfil, hay una mesa y unas sillas nuevas, algo endebles pero pintonas, y un cubresofá de lana tejida que le da un aire antiguo y reposado a la vivienda. El interior huele a comida recién hecha, y yo ya solo leo a ratos. Supongo que esto es la domesticidad, porque aunque he tenido otras parejas, no he vivido con nadie nunca. Hay cosas que han cambiado, sí. Leo menos, no como antes. La pareja genera estas cosas: te concentras menos, trabajas menos, ves más películas en el sofá, te enzarzas en discusiones ridículas sobre lo cotidiano. Qué fruta comprar, dónde dejaste las bombillas, quién lava los platos.

Tenemos cosas. Tenemos muchísimas cosas. Tenemos un piano, infinidad de libros, postales enviadas desde Berlín, botas de montaña, pañuelos y camisas de franela, jerséis de lana gruesa, no sé, un montón de cosas. Tenemos mejillones al vapor, guisos al fuego, que tardan horas en hacerse, siempre con mucho cuidado, como si se tratara de una pieza de artesanía. Y te he regalado una planta. Fue tras un malen-

51

tendido, que ahora he olvidado. Más o menos. Me sucede algo que nunca me había pasado antes, en esta relación tan sólida y con perspectivas de futuro: me cuesta enfocar lo que nos pasa. Tú me preguntas qué siento y yo me pierdo, se me escapan las respuestas como la arenilla húmeda de la terraza, me molesta tener que explicarme, que no te pongas en mi lugar. Creo que es en esta época cuando empiezo a tomar tranquilizantes. Los malentendidos son, a veces, remolinos de agua sucia que me arrastran y de los que no puedo salir. Y si no salgo de ellos, no duermo. Y tú me dices que no hay que acostarse enfadados. A veces, la extrañeza del cuerpo del otro opera de maneras curiosas y me despierto a medianoche mirando tu rostro sin reconocerlo. Una compañera de la oficina me dijo una vez que le pasó durante la infancia de su primer hijo: a veces le encontraba junto a su cama, mirándola, y cuando se despertaba, ver la cara de un niño junto a su almohada la hacía brincar del susto. No reconocía a su hijo. He parido una relación de pareja, pienso entonces, y me río por dentro, como si el pensamiento fuera una cruel travesura. Me siento culpable, de repente. En realidad, cuando no nos entendemos, lo único que quiero es que todo vuelva a estar bien. Volver a la paz que siento en este día de verano.

Tu perfil es regular, armonioso, pienso. Es lo que me gusta de ti. Un compuesto de una cabeza, unos ojos claros y buena altura. Me he emparejado con un hombre guapo, sólido. Todas las mujeres a mi alrededor me lo dicen. Le gustas a mi madre, siempre tan crítica. Me dijo que eres un hombre confiable, de los que ya no quedan. Le gustó que le contara que me acompañaste a casa la primera vez que salimos, que me llamaste al día siguiente, que me invitaste a comer a tu casa y cocinaste tú. He comprobado que te gusta hacer cosas con las manos, que te relaja. Hoy dices que quieres cortarme el pelo, y aunque en realidad no quiero que lo hagas, es demasiado complicado explicarte que me gusta el ritual de ir a un sitio desconocido, el olor a perfume, la charla insustancial y femenina, y salir renovada, como si fuera otra persona. Empiezo a decírtelo, pero te ríes un poco de mí, me doy cuenta de que te parezco frívola, a veces. Pero me quieres, yo lo sé, puedo verlo en tu mirada. Este tipo de amor no se finge. Te gusta cuidar, sentir que nuestra casa es un hogar que debe ser atendido, ser responsable y adulto, como un hombre de otra época. Si no fuera porque te conozco, diría que eres un hombre conservador.

Por las noches, cuando todo está en calma y siento el cuerpo cansado, me gusta abrazarte por la espalda sin que te despiertes. Me hace sentirme completa. Es en ese momento cuando me convenzo de que me vas a salvar de lo que he hecho mal antes en mi vida. De los errores, del tiempo perdido, de los que no me han querido bien.

Pero ahora, en este instante soleado, oigo mi nombre en tu voz y me giro, y me sorprende ver que era un truco para hacerme una foto con el móvil. Años después, esa foto será la prueba de que lo que está pasando en este momento lo viví, que realmente tuvo lugar. Me veo en esa foto, con el tronco girado hacia la cámara, sobre una silla vieja y desvencijada, en esa terraza cubierta de humedades, con un libro en la mano, una camiseta blanca, las gafas de sol y los pies descalzos, sonriéndote, a ti. Ese instante que ya no recordaré.

Acto seguido, contenta y tranquila, intento volver a la lectura, recuperar ese hábito perdido, pero tú sales a la terraza, tienes que consultarme algo. En ese momento me fijo en que te estás dejando barba. Ya no quieres ser el chico de las patillas, supongo, quieres dejar atrás algo juvenil y convertirte en un señor responsable y adulto. Me doy cuenta, aunque sea algo imperceptible para ti, y me llena de ternu-

53

ra. Me dices cariño, me haces ver que me necesitas. Siempre me pides que te ayude en todo, me consultas cada detalle: los pantalones que te compras, la factura que envías a administración. Quieres que lleve yo las cuentas, que te aconseje en lo que concierne a tu vida laboral, por dónde tirar, mi opinión es la más importante. Eso me da un poder que nunca he sentido antes, una fuerza inesperada. Esa energía que siento desde el estómago me hace sentirme más sólida, más calmada. Cuando hago pedidos a Ikea, o tengo que hablar con el electricista porque la instalación falla, me refiero a ti como «mi marido», ¡yo!, mis amigas se morirían de risa si lo supieran. La que se escabullía de cualquier cosa que resultara doméstica, la que se aburría de que se hablara de cortinas y parqués. Pero aunque tú no seas mi marido, necesito ese anclaje, esa palabra que solidifique lo que necesito de ti, y al decirlo, *mi marido,* esa sensación en el estómago se hace más fuerte, más presente, y yo me centro en ella y la hago crecer. Mi marido, pienso, y me levanto para preparar la mesa para el almuerzo, porque he vuelto a perder el hilo de la lectura y alguien tendrá que hacer la ensalada, que si no, no comemos nunca.

VI. DEBORAH Y EL MÁRMOL NEGRO

Todos los hombres se parecen. Esta es una verdad que tardé en aprender, y que sopeso ahora, cuando contemplo a mi marido muerto, años después, en Londres, sobre la mesa de mármol negro de su biblioteca. Esos dichos de las mujeres, murmurados en confidencia en nuestras estancias, suelen ser ciertos. Todos los hombres se parecen, pero sobre todo se parecen a sí mismos. Ahí está, mi marido, vestido como un señor, tendido sobre una mesa de mármol negro cubierta con un manto de terciopelo púrpura, exactamente como especificó. Sus gustos de nuevo rico me han obligado a morderme la lengua desde que se organizó el velatorio. La imagen es espantosa, grotesca, tan alejada de la austeridad de nuestra fe: un hombre de más de ciento cincuenta kilos, ya del color de la cera, sobre el terciopelo, parece un pavo a punto de ser deshuesado.

La mesa apareció durante una de las ausencias de mi marido, una monstruosidad negra, del tamaño de un toro. Las criadas me aclararon prontamente que se trataba de un escritorio de mármol. Había elegido portoro, un mármol italiano, dijeron, con vetas doradas. Es un material noble, el más caro, susurró una de ellas, bonita como una flor, contratada por mí solamente para tentarle. Cada vez me divertía más ver cómo, cuando se dignaba a pasar por casa, se escondía de mí para fornicar con las criadas en cualquier esquina, como la bestia que era.

Ahora toco la piedra negra pulida, que no devuelve luz. Toco la piedra pulida, helada como el fondo de un lago. Me imagino el sudor que hizo falta para colmar el capricho de un labriego enriquecido de provincias. Es espantoso, pienso. Ordeno a una de las muchachas que les cambie el agua a los lirios porque se están mustiando y me deprime. No quiero flores mustias para todas las visitas que están por llegar. Miembros del Parlamento, empresarios, ganaderos, habrá que atenderles a todos.

Tardé algún tiempo, pero tras dejar de compartir lecho con él finalmente comprendí que me había casado con un hombre demasiado parecido a mi padre: alguien que conocía el trabajo pesado y duro de las granjas, que se había hecho a sí mismo. Tuve mucho tiempo durante sus ausencias para poder analizar lo que había sido de mí. Todo lo que tenía, de hecho, era tiempo, así que por fin pude pensar por mí misma. Solo así se entiende mi elección de esposo. Confundí su capacidad de supervivencia y su escalada social con hombría. Qué estúpida. Si hubiera entendido eso antes me habría podido ahorrar lo que vino después. Mi marido, como mi padre, había tenido que labrarse un porvenir, sabía de caballos, de vacas y de tierras, pero no era un hombre de ciudad que poseía una finca, sin más. Era un hombre de campo, había tenido demasiado cerca la tierra. Ese barro bajo las uñas, ese hedor a estiércol. Por eso, ahora quería cosas. Oh, cómo las quería. Pero no cualquier tipo de cosa, solo lo mejor. Sedas, especias, oros, comidas exquisitas, vinos espumosos. Cosas que le alejaran de sus orígenes. Ahora que se había casado conmigo, ahora que no era un simple granjero venido a más –como había sido su abuelo, y su padre–, tenía una buena fortuna. Y no se iba a conformar únicamente con eso: también quería poder.

Era verano cuando, tras pasar unos días en Londres, llegó a casa con la noticia de que yo era, desde ese momento, la mujer de un baronet. No pregunté, no tuve que hacerlo. Era evidente que era un título ridículo que había adquirido de algún cortesano lamebotas a cambio de una buena parte de mi dote. No protesté, lo entendí.

Mi marido. Mientras gotean los cirios en su velatorio contemplo su tripa hinchada de tanto vino y capón. Pienso en las cenas políticas, en las otras mujeres. Él creyó que no me daba cuenta, o peor, pensó que me daba igual. Los hombres se parecen tanto a sí mismos y yo había aprendido, finalmente, el arte del disimulo.

–Nos vamos a la ciudad –dijo.

–¿A Bath?

–No, mujer. A Londres. He sido elegido por Malmesbury para entrar en el Parlamento. He encontrado una casa perfecta para nosotros, muy cerca de Westminster, y te necesito allí.

La cabeza me dio vueltas por la alegría. ¿Londres? ¿Por fin? Aun así, me asaltaron las dudas. Ya me había hecho con la casa, con las criadas, con los cambios de estación.

–Yo no voy.

–Por supuesto que vendrás. No voy a dejar que te quedes aquí y te conviertas en una pueblerina, ¿en qué lugar me deja a mí eso? Tienes una nueva profesión: entretener a las mujeres de los otros parlamentarios. Debemos ganarnos su confianza, y para eso te necesito. Has aprendido a llevar muy bien la casa, eres lista y rápida. Es imprescindible que vengas y organices nuestra nueva vida.

Henry Moody, estás muerto frente a mí y casi he olvidado todo. He olvidado nuestras primeras mañanas, tu barba rubia, esas manos cortas y fuertes que detestabas y yo tanto amé al principio. He olvidado el olor a salvia de tu cuerpo, antes de que se convirtiera en este pavo ridículo que tengo ante mí, antes de que decidieras ser ese advenedizo al que todos escuchaban porque venías del campo y precisamente por eso debías de ser honesto, la gente es estúpida, a veces se me olvida. Los hombres no cambian y la gente es estúpida.

—Solo con una condición. El niño viene con nosotros.

Se hizo un silencio sucio y espeso, como un charco. Pude ver cómo hacía cálculos de manera rápida y, en un gesto automático, buscaba las salidas de la habitación, dónde estaban las puertas, cuánto tardaría en alcanzar la más cercana. Será un buen parlamentario, pensé.

—Deborah, el niño tiene una madre.

—No. He tolerado tus infidelidades, has malvendido mis tierras, me has humillado públicamente. Si empezamos de nuevo, quiero un hijo.

—Y qué quieres que haga. ¿Que lo rapte? ¿Te has vuelto loca?

—Ahora eres baronet y político, ¿no? Enciérrala. Ella es una mujer casada y adúltera. No te costará mucho, ahora que tienes poder. Nos quedamos con el niño y se viene con nosotros a Londres. Se llamará como tú, Henry Moody. Apenas tiene dos años, yo seré su madre a partir de ahora. Es mi única condición.

Días después apareció en casa una mujer anodina de rasgos tristes, con el niño más bonito jamás visto, de rizos rubios y ojos de almendra, que me observaba, muy serio, a dos palmos del suelo.

Señor, ahora que me has abandonado, espero que perdones mis pecados. Sé que son muchos, sé que has tenido que hacer un esfuerzo, pero eso es el amor, un esfuerzo tras otro y yo me he dedicado a ti. Si todavía queda algo por expiar, perdóname alguno, dime dónde estoy y sácame de aquí, de debajo de esta tierra.

Ya sabes que así es como mi marido y yo nos fuimos a vivir a Londres. No nos llevamos a nadie del campo más que a Henry, ni siquiera a un sirviente. Mi marido solo exigió la mesa de mármol, él y sus cosas. Cuántas cosas acumulamos después como símbolo de su nuevo estatus, todo eran posesiones, pero la primera fue esa mesa que cargaron tres caballos, tres pobres animales que hubo que sacrificar nada más llegar a las puertas de la ciudad. Habían terminado extenuados tras el trayecto, que se había hecho más largo de lo habitual. Oí que el conductor relató cómo el carro se desfondaba cada tres o cuatro días, por el enorme peso que acarreaba.

7. CARRER NOU DE SANT CUGAT (ANTES)

Hay cosas que me hacen titubear, a veces. Una mañana de hace dos semanas, de camino al mercado del barrio, nos cruzamos con una gente que conocemos de vista, deshidratados y pálidos, con las gafas de sol puestas y riéndose ruidosamente. Estaba claro que volvían de un after, probablemente el de Nou de Sant Cugat, y vi tu gesto, tu mirada de desprecio, como si olieran mal, «menuda panda de mamarrachos», dijiste, y yo asentí, sin mucha convicción. No entendí muy bien el comentario, pero decidí no recordarte que nosotros nos habíamos conocido en aquel bar al que ambos íbamos bastante borrachos y donde corría la cocaína. Pero ese día, en una de las callejuelas que llevan al mercado, el más alto del grupo me hizo un gesto con la mano desde la lejanía, un gesto apenas perceptible, y me sonrió con dulzura, y yo recordé una noche de hace varios años en una azotea de la calle Ausiàs March, porque alguien compartía piso allí, eran cinco o seis, en uno de esos pisos de doscientos metros cuadrados del Eixample Dret que se podían alquilar entonces, no ahora, claro. Recordé que le tuve muy cerca, recordé su aliento y su conversación sobre pirámides aztecas o una estupidez similar, una de esas conversaciones que se tienen a las cinco de la mañana cuando ya nada importa y tienes a alguien demasiado cerca como para que importe. No le devolví el saludo, me giré para que tú, mi *marido*, no lo vieras y no te conté nada de ellos, de que les conozco, sobre todo al alto, cómo te iba a contar eso, solamente sentí que mi nueva vida no podía tener nada de eso, que mi nueva vida exigía pureza, dedicación, sacrificio. No sé por qué, pero mi nueva vida requiere una disciplina especial. Pero hoy es otro día, un mediodía plácido y frío de invierno, y el sol entra débil por la ventana. Me gusta el invierno, pienso mientras saco el mantel bueno y comienzo a poner la mesa. Tú estás en la cocina, hoy vas a encargarte de la comida y noto algo de electricidad en el aire. Sé que estás nervioso, porque has invitado a varios amigos para discutir un nuevo proyecto. Tras la oleada de concentraciones en las ciudades, tú, que ya eras buen orador y tenías don de gentes, has entendido que va a pasar algo, algo que puede ser la mecha de otra cosa mucho más importante. Me lo has explicado varias veces con los ojos encendidos por la excitación: la huelga de los mineros asturianos, el verano pasado, fue un punto clave, de no retorno. Todo comienza siempre en Asturias, y ahora hay que organizarse. Si lo hacemos bien, será el momento de un nuevo país. Yo te doy la razón, sé que necesitas que te la dé, puede ser un buen acicate para un cambio. Sé que estás cansado de vender proyectos a una administración cada vez más errática y depauperada, estamos en el meollo de la crisis económica, y gente como tú, con estudios superiores pero algo difusos, sin mucha experiencia práctica, abunda. No importa que tengas carisma, que cuando cuentes algo a alguien le hagas sentirse la persona más importante de la habitación, como hiciste conmigo aquel día en aquel bar, eso ahora no surte demasiado efecto. Estás cansado de que no te valoren, de

61

tener que hacer cosas que no te gustan, tú me lo cuentas, frustrado, y yo te abrazo y te digo que todo saldrá bien, aunque sé que llevas meses así, durmiendo poco, preocupado por tu futuro económico, que ahora también es el mío. No se habla nunca de que yo gano más que tú, pero los dos lo sabemos. Así que sea lo que sea lo que pase ahora, será bueno para tu ánimo.

Me acerco al fregadero y veo las bolsas con lo que será el menú: cordero con boniatos y pimientos a la brasa. Sencillo y tradicional. Nada imprevisto, pienso. Sé exactamente lo que vendrá ahora: cocinar, escuchar discos en vinilo mientras preparamos un vermut con patatas y mejillones en escabeche y esperar a los invitados. Eso es algo que me gusta de ti, tienes muchos amigos, la gente te quiere, un hombre amigo de sus amigos, que aparecen por casa bastante a menudo. Me agrada esa manera de vivir, que me saca de mi rutina de lunes a viernes en la plaza de les Glòries, y de los grises de una vida que podría ser anodina. Ya no voy a bares si no es contigo, eso es cierto, y a mis amigas las veo más en casa que en otra parte, siempre con sus parejas. Nosotras, que no éramos precisamente domésticas, ya solo nos vemos en nuestro salón, y muy de vez en cuando. Y de mis otros amigos ya casi ni me acuerdo. Antes me llamaban para vernos pero crear una relación de pareja cuesta esfuerzo y dedicación, así que primero pasaron a un segundo plano y ahora están en un muy discreto tercer lugar. Pero tus amigos están bien, me gustan, me hacen reír. Me tranquiliza no tener que hacer esfuerzos, que me lo den todo hecho. Sí, me he acomodado a esta vida. Después de comer sé lo que seguirá: cinco hombres sentados a nuestra mesa discutirán sobre un proyecto político durante horas, hasta bien entrada la noche. Democratizar la democracia. Asaltar las instituciones. Ganar el relato. Todo es un mandato, una orden.

Mientras, yo me centraré en otra: recoger la mesa. Aun así, nada chirría. No, de momento.

Es cierto que, a veces, por las noches, sin decírselo a nadie, ni siquiera a mí misma, anhelo la vida que tenía antes de conocerte, cuando salía, bailaba, era otra persona, parecida pero distinta. Una vida propia, no digo. Propia, no llego ni a pensar. Es cierto que hay cosas que no le cuento a nadie, y mucho menos a mis amigas que ahora veo en estas cenas caseras: no explico que el sexo, después de los primeros meses, es ahora poco e infrecuente. Que de los malentendidos hemos pasado a las discusiones, y cuando discutimos, siempre tengo que ceder yo y pedir perdón, porque me he equivocado, discúlpate, haz el favor, qué te cuesta, pienso, y después de mis llantos y una angustia que me cercena la garganta, tú accedes a aceptar mis disculpas, con reticencias, y luego nos hacemos regalos de reconciliación. Desde aquella primera planta, que crece en la terraza, esplendorosa, casi siempre hago yo los regalos, y sé por qué. Porque siempre discutimos por mi culpa. Eso es innegable, desde que estoy contigo se me está agriando el carácter, pese al amor. En la nebulosa de las discusiones, en las que no puedo ordenar los pensamientos y las ideas, salto a la primera, me defiendo de un posible ataque con palabras y gestos en los que no me reconozco, soy una gata rabiosa dispuesta a arañar por todo. Cuando no son días tranquilos en los que te sientes vulnerable, me pides consejo, y me tienes permanentemente a tu lado, me vuelvo susceptible, celosa de todo lo que no puedo controlar. Celosa del espacio, del aire, de todo lo que merece tu atención que no sea yo. Si pudiera, a veces te consumiría, te inhalaría como la neblina que a veces cubre la ciudad, de punta a punta. Nunca recuerdo muy bien cómo empieza todo, pero, después de mucho llorar y de la ansiedad que me corta el centro del plexo solar, finalmente el horror termina y siento la piel nueva, renovada, brillante como una cicatriz. Algunos días me tomo un diazepam a escondidas en el baño y entonces lloro menos. Tras la última pelea, y porque tú quieres que estemos bien, me propones ver a mis amigos, a esos que casi no veo, y sé que es una mano tendida, una rama de olivo, sé que me cuidas y me quieres, y siento una alegría inmensa, desproporcionada, como si me hubieran entregado un cachorrillo suave y esponjoso, y ruego que todo salga bien, me preparo a conciencia para ese momento por lo infrecuente. Hay algo no dicho que se ha instalado, y yo sé exactamente de qué se trata. Mis amigos son estridentes, cuando beben no dejan hablar a nadie, y frivolizan sobre cualquier cosa, gastan demasiado en tonterías, y a tu lado no parecen adultos, sino unos niñatos quejicas, aunque tengamos todos la misma edad, y las pocas veces que quedamos tú me miras de soslayo y me sostienes la mano y me sonríes, y aun así, pese a que tú lo aguantas estoicamente, suelo sentirme avergonzada y acorto esos encuentros, y los espacio cada vez más, para no sentirme torpe y fuera de lugar. Solo contigo estoy donde tengo que estar.

Esa noche, la noche que tú has propuesto, va a ser distinto, lo noto. Todo está en calma y me siento feliz y tranquila. Estoy dispuesta a pasar un buen rato en compañía de mis amigos y de mi pareja, y no hay nada malo en esta imagen, todo está en orden, tú has reservado un sitio confiable y popular, como tú, y ahora oigo cómo suena tu teléfono y cómo lo atiendes mientras me maquillo en el baño, y aunque primero pienso que la llamada es de alguien del restaurante, para confirmar la mesa, enseguida me doy cuenta de que se trata de algo de la plataforma ciudadana en ciernes, y calculo que la conversación se alargará al menos durante veinte minutos, así que aprovecho el tiempo para arreglarme más minuciosamente. Me peino con secador, me recojo el pelo con unas horquillas y elijo un vestido blanco corto que mis amigas dicen que me hace las piernas largas y unas sandalias de tacón bajo que tú elegiste para mí en un viaje que hicimos a Viena, unas sandalias antiguas, de los años treinta, con un reborde de cuero que imita a una ola, y te espero, junto a la puerta, maquillada y perfumada, a que acabes tu conversación, y cuando cuelgas y finalmente me miras de arriba abajo, me dices, entre risas entrecortadas: cariño, ¿vas a salir vestida así, no te das cuenta de que pareces una puta?, y me lo dices avergonzado, pero no por lo que dices, sino porque me lo dices a mí, como si hablaras con una niña pequeña, una niña subnormal, a la que le falta la capacidad de distinguir lo bueno de lo malo, y es cierto que no me he dado cuenta, debo de ser imbécil, o algo parecido, porque no me he dado cuenta. Y, aturdida, voy hacia el dormitorio, me quito el vestido blanco corto y me pongo otra cosa, una camisa ancha de lino y un pantalón de pinzas, y tú me agradeces el gesto y me besas y me estrechas la mano, y aunque todo vuelve a estar bien de repente estoy muy cansada, y me pongo a contar las cosas que tenemos, tenemos zumo de naranja para mañana, tenemos muchos libros, tantos libros, tenemos ropa, gas para el invierno, que seguro que va a ser frío, tenemos una manta de lana peruana, invitaciones a congresos, entradas de cine y de teatro, tenemos agua embotellada, limpiacristales, toallas húmedas, algunas pelusas bajo el sofá, tenemos azulejos, una mesa de mármol, tenemos

VII. DEBORAH Y EL AGUA

Si pudiera decirle algo a esa chica que tiene tantas ganas de morir, tantos años después, tan lejos de aquí, en esa otra ciudad de puerto, le diría que no tenga miedo. Morir no es tan malo.

Fíjate en mí, Dios mío, aquí, bajo tierra. Ya que te has negado a darme una respuesta, he tenido que llegar a la conclusión de que estoy muerta. Está claro que estoy muerta aunque sienta la arena salada a mi alrededor. Qué cuerpo extraño me has dejado. Y, por cierto, ¿cuántas veces he muerto ya? ¿Dos, tres? ¿Cincuenta? No recuerdo otra vida más que la que ahora relato. Morir no te salva de nada, no expías absolutamente nada con la muerte. Lo siento, Señor, si esto es una herejía. Es muy difícil aceptarlo, pero una vez que lo sabes, esta es la verdadera liberación cristiana. Morir no me salvó. No importa lo que digan los grandes divulgadores de tu palabra. Perdóname, Padre, como me has perdonado tantas cosas. Padre mío, mi Padre querido.

Tú que conoces todas mis muertes, concédeme que no he tenido una vida fácil. No esperaba ese escollo en el camino, esa prueba que me pusiste después de la muerte de mi marido. No esperaba la pobreza. Él malgastó todo lo que tenía y poco a poco fueron viniendo los acreedores, aunque eso no fue exactamente una sorpresa. Una mujer que maneja su casa es capaz de prever esas cosas. No era, ya, una completa estúpida. Tampoco era ya una mujer inocente. A lo sumo, se me podía achacar cierto fervor por tu palabra y la vida recta, nada más. Todo lo que fuera alejarme de mi vida anterior me sumía en la tranquilidad de saber que solo me quedaba esperar la salvación divina, a esa posibilidad me agarraba días y noches. Aun así, tuve que bajar a lo material de golpe. Porque hay una diferencia muy grande entre tener que aguar la leche por las mañanas para hacer gachas y no tener absolutamente nada. Esa enorme diferencia llegó finalmente. Yo, que venía de una familia que lo había tenido todo, de repente me quedé sin nada. Así que tuvimos que irnos.

Mi hijo querido, mi Henry, me miró con esos enormes ojos del color del agua salada que no acaba nunca. Aquí, bajo tierra, lo sigo viendo como un niño pero no lo es. Para cuando dejamos Londres debía de haber cumplido los diecisiete años ya, y se movía por la cubierta del barco infecto que nos sacó de la ciudad con muchísima agilidad. Es difícil comprender lo que implica cambiarle la vida a un hijo, pero tú lo sabes, Dios mío, tú conoces las trampas de la fe. Una cosa es hacer frente a los acreedores y otra muy distinta a la Iglesia. Cómo iba yo a entender en aquel momento que mi refugio, mi único espacio de vida, tu palabra, tu palabra de salmo cálido, de vitrales color cereza, fuera a ser una prueba tan enorme, que exigiera tal sacrificio.

Con tanto tiempo para mí, primero por las ausencias de mi marido y después ya viuda, había encontrado un nido en nuestras creencias. Una comunidad, una vida. Las mujeres me habían acogido y yo había podido hablar de aquello que quemaba mi razón. ¿Por qué, tú, Padre mío, nos exigías tal entrega desde que éramos apenas unos corderillos? ¿Acaso no había podido yo elegir a mi hijo, ya como mujer adulta, sin que hubiera sido impuesto desde el fornicio, como pretendía mi marido? Recordaba las culebras color hiel y el fuego, ese deseo que tanto había anhelado, como si fuera agua pura. Pero esa sed nunca lleva a nada gratificante. Por fin lo había entendido. Yo había podido elegir a mi hijo, y mi hijo me había escogido a mí. La fe tenía que ser igual, eso les susurraba yo a las mujeres que había conocido mientras mi marido aún vivía, eso susurrábamos en nuestras cenas mientras ellos pasaban a la biblioteca a departir sobre sus negocios, ¿acaso pensaban que nosotras no hablábamos? Por supuesto, siempre había alguna con cara de trucha asalmonada que no participaba y cuya única razón de ser era loar las veleidades políticas de su esposo, pero eran excepciones. ¿Qué pensabas, Dios mío, que iba a pasar si nos otorgabas, como habías hecho, el poder de la palabra y el raciocinio? ¿Cómo frenar lo que has creado, esa capacidad nuestra para elegir? Una vez entendido qué es el verdadero deseo y cómo se gesta, ¿cómo no comprender que lo verdaderamente importante era nuestro derecho a decidir?

La pobreza nos había dado agilidad y tu palabra un propósito, en la fe habíamos encontrado a nuestras semejantes. No lo supimos ver a tiempo, ya éramos mujeres maduras, pero nuestra condición social era la que era: éramos pobres en posesiones pero seguíamos siendo aristócratas en nuestra cabeza. Jamás pensamos que vendrían a por nosotras. ¿Qué podían quitarnos ya, si nos lo habían quitado todo?

Estúpidas. Pienso en mi Henry y en nuestro tránsito en aquel barco lleno de ratas, en esa madera que crujía, hacinados como estuvimos junto a nuestros semejantes. La venganza contra los tejemanejes de mi marido se ejerció contra mí: debía abandonar Londres en veinticuatro horas, para dar ejemplo. ¿Ejemplo de qué? No importaba. Las mujeres siempre acabamos siendo ejemplo, Señor, las Escrituras son un claro exponente de lo que te hablo. No hay mujer real en Sara, Agar o Abigail. Solo sirven para una causa, como yo ahora debía servir para otra.

Pero nosotras íbamos a decidir, eso no nos lo podrían arrebatar. No permitiría que Henry volviera a nuestras antiguas tierras convertido en un miserable, también allí nos encontrarían. Hubo quien optó por ese camino: perderse en un pueblo, en un lugar cercano a un bosque, y trabajar desde ahí para ti, mi Dios. Yo no podía hacerle eso a Henry. La carga sería demasiado pesada para él. Nos habíamos acostumbrado a las calles y a sus piedras, los caminos de las ciudades son como tu palabra, tienen una estructura y un sentido. Yo quería que mi hijo pudiera florecer en un lugar mejor, nuestra tierra sería nueva, amplia, sin secretos. Sí, por fin, para establecer ese nuevo orden, por la gracia de Dios, por tu reinado, por nuestra supervivencia y preservación, por fin, íbamos hacia ti, por fin íbamos al encuentro de nuestro nuevo Canaán.

8. CALLE DELS VALERO (ANTES)

A veces, como la sólida pareja que somos, especialmente cuando no hemos discutido, hacemos planes. Uno de los que más nos gusta es recorrer barrios que nos son ajenos, así que un día me propones en tono jocoso al acabar una de tus reuniones, cada vez más frecuentes en los fines de semana, con amigos de la incipiente nueva formación ciudadana, que nos encontremos en un barrio pijo, por qué no, el más pijo que se nos ocurra, y así dar una vuelta por allí, como quien camina por el suelo de Marte. «Quedamos en el parque del Turó», dices. No me niego. No te digo lo que realmente me suscita ese plan. No te contradigo.

Pero en mi cabeza, como en una invocación, repito:

... Nada me da más miedo que los barrios de la zona alta de Barcelona un domingo por la tarde. La zona entre la parroquia de San Gregorio Taumaturgo, Modolell y Juan Sebastián Bach, con sus edificios de ladrillo rojo construidos entre las décadas de los cuarenta y los cincuenta, sus toldos de rayas color crema y menta, esas grandes fincas con sus grandes portales acristalados, las ventanas que reflejan el sol de invierno al atardecer en el Turó Park, los nenúfares putrefactos de sus estanques, a los que acuden los bebés de Sant

Gervasi y Tres Torres, gateando, bajo la no tan atenta mirada de sus cuidadoras latinoamericanas, que chatean furiosamente por el móvil con los hijos adolescentes que dejaron en sus países, mientras arrastran la correa de un cocker spaniel al que tampoco hacen caso, por qué deberían. Nada me da más miedo que esas casas de tres o cuatro plantas, donde se alternan las viviendas de familias de apellido compuesto con clínicas de fertilidad, pastelerías y rosticerías a las que acuden ingenieros, dueños de inmobiliarias y periodistas conservadores que hacen favores a cambio de un par de cajas de Veuve Clicquot y doscientos gramos de salmón ahumado noruego. Nada me da más miedo porque en la mayoría de los recodos no hay nadie ni a plena luz del día, nunca hay nadie en la zona alta, solo hay edificios de ladrillo y alguna cámara de seguridad que instalaron recientemente, así que si te viola uno de esos pijos que se lo puede permitir –porque si te violan ahí, amiga, es más que probable que sea alguien que se lo pueda permitir–, nadie acudirá a tu rescate, ni siquiera los porteros que trabajan en fin de semana, los que no libran ni en Navidad, nadie te oirá, no acudirá nadie de las floristerías desiertas, nadie de las tiendas de ropa italiana abiertas en festivo, desafiando las ordenanzas de la Generalitat, esperando a que aparezca alguna señora aburrida a probarse algo. Tus gritos desgarradores serán ignorados mientras Bosco, Álvaro o Yago te meten un palo de hierro por el coño, pedazo de puta, no se oirá nada más que tus aullidos, solo el trinar de algún estornino o, como mucho, el ronroneo suave de un Jaguar verde botella mientras sale de algún edificio, justo entre la calle Modolell y Juan Sebastián Bach, justo donde está ese precioso establecimiento de degustación de ostras tan magnífico al que siempre quisiste llevar a tus padres en una fecha señalada, un cumpleaños, por ejemplo.

VIII. DEBORAH Y LA CASA DE CRISTAL

No hay nada como ser viuda. Permíteme, Padre mío, esta extravagancia, una más. Nunca pude decirla en Saugus, en la bahía de Massachusetts, el primer puerto al que nos trasladaron al bajarnos del barco. Poco pude decir allí al principio, pero ahora que estoy muerta, qué más da. En Saugus teníamos la promesa de otra vida, una distinta, por fin. Más allá de nuestros anhelos y el cansancio, lo que realmente recuerdo es que el principio no fue tan distinto a todos los principios. Es decir, hay quien cruza el océano simplemente buscando un techo y una cama caliente, mientras hay quien lo hace para dedicarse a Dios. En mi caso, la simple posibilidad de volver a las pequeñas cosas fue lo que me dio solaz, un orden. Había una nueva tierra y teníamos que ordenarla.

Hacían falta brazos, y mi pobre Henry se deslomó desde el inicio en una de las herrerías de esa aldea que aún llevaba el nombre de los indios. Mi pequeño de rizos rubios, ya un hombre, después de ver tanta podredumbre y muerte en el viaje, había cambiado para siempre y se contentaba con un trabajo manual de sol a sol, él, que estaba destinado a seguir nuestra estirpe de nobleza, nuestro niño de piel suave, ya tenía callos de trabajar el metal como si fuera una condena, puro trabajo a golpe de martillo.

Pero ¿yo? Yo era la reina de mi casa, una casita gris de madera en la que nos instalaron, en el centro del pueblo. Plantaba en mi huerto hortalizas, que allí crecían con dificultad, porque era otra tierra, otro clima, y atendía un hogar de apenas dos habitaciones. Me sobraba vida, a mí, que ya era considerada una vieja. Pobres vecinas jóvenes, condenadas a parir un hijo tras otro, muchas morían de aquel olor dulce que aún recuerdo. Me las cruzaba de camino al mercado, donde intercambiaba lechugas y zanahorias por pan y queso, mientras ellas avanzaban mudas, sin mirarme, con las cofias gachas como la flor de la campanilla cuando se seca.

Mi intención era que nosotras, las mujeres que éramos fervientes seguidoras de tu palabra, pudiéramos llevar una vida libre sin esconder nuestra fe, una vida recta y útil. La utilidad es una virtud que siempre se nos inculcó, desde el inicio. Me parecía bien. Necesitábamos de esos límites en el nuevo mundo, esa tierra con tanto espacio abierto. Los olores, las plantas, los animales. El nuevo mundo. Había leído sobre todo aquello en los libros, pero nada es comparable a tenerlo delante. Las calles allí no eran surcos serpenteantes, sino líneas rectas, afiladas como tijeras, que separaban el bien del mal. Al principio, tanto orden me reconfortó. Hay pocas cosas comparables a tener una estructura, un sentido, que el camino más corto entre dos puntos sea una flecha.

Pero una cosa es tener un propósito y otra muy distinta es que te impongan una serie de instrucciones de las que no te puedes desviar ni un ápice. El orden era comprensible, pero, ay, nuestros fundadores tenían otra cosa, tenían directrices. Se suponía que esas directrices emanaban de tu

73

palabra y debían ser seguidas a rajatabla, porque al fin y al cabo vivíamos en la nueva ciudad ejemplificadora. Pronto me di cuenta de que nuestras paredes estaban construidas de madera pero eran de cristal, donde Dios todo lo veía, pero no tú, Padre querido, sino alguien más inquisitivo que no dejaba espacio ni para pensar. El reverendo venía a vernos prácticamente todos los días, y nos preguntaba por nuestros quehaceres. Han visto a Henry trabajar demasiado, ¿qué culpa está expiando? Querida Deborah, tu llamada, la llamada del Señor ¿la sientes de veras?, ¿cómo distinguirla del fingimiento? Comencé a sentir una opresión en el pecho que no me dejaba descansar por las noches. Sentía, cuando cerraba los ojos, que mis párpados eran transparentes y veía más allá de mi propia carne, la inmensa oscuridad y todo su silencio. La falta de descanso me pasó factura: al poco tiempo se me humedecieron los huesos y empezaron a dolerme.

Se me aparecía por las noches la imagen del reverendo. Su cabeza muy rubia, con ese pelo del color de la paja muy seca, casi transparente. Sus ojos, de un azul penetrante, se me clavaban hasta detrás de los míos, y las cuencas se me iban hacia atrás, y me mareaba de puro nervio. Yo intuía que ese era su truco, hacernos creer que podía leer dentro de nosotros, que nuestro cuerpo era también de cristal. Así debía ser nuestro nuevo Canaán, nuestras nuevas reglas. Y yo, claro, era una mujer sin marido. No había pared que se resistiera a esos ojos de hielo, ni siquiera las paredes de una vieja que estaba sola. Ni mi hijo Henry podía protegerme de esos ojos. ¿Había cruzado océanos para poder seguir adelante y alcanzar la tierra prometida y ahora me faltaba el aire? Parecía algo excesivo que me pusieras esa prueba nada más comenzar, Dios mío.

Un día, cuando volvía del mercado, contenta por haber

vendido los huevos a muy buen precio, me lo encontré echando sal en la puerta.

—Soy una mujer piadosa, reverendo, ¿qué hace echando sal a mi puerta? ¿Acaso ve usted al demonio rondando?

El reverendo sonrió con beatitud.

—Por supuesto que no, Deborah, es tan solo para protegerte de tanta actividad. —Su mirada se oscureció—. Trabajas demasiado. Como sabes, no se trabaja porque se crea que es un pecado estar ocioso, ni para buscar otro fruto del trabajo, salvo para traer el centavo, que no debe ser acumulado. Me ha parecido que estás acumulando demasiada riqueza, no estaría de más que pensaras de qué manera puedes revertirla a tu comunidad.

Sentí algo que me obligaba a hablar, como una lengua ardiente que me quemaba si no la soltaba, como un torrente de lágrimas. Era tu voz, supongo, Padre mío, querido Dios, diría que eras tú hablando a través de mí si no fuera porque esta es una verdadera confesión y yo soy una mujer instruida y tú bien lo sabes. Era mi voz. Mi voz de viuda que hablaba.

—Sí, reverendo, pero el trabajo diligente es una vocación principal, mediante el cual una persona se abastece de lo necesario para sí misma y para los que dependen de ella. Recuerde que el fruto y la posesión de bienes y riquezas son una bendición de Dios, y que debe ser bien usada. El recogimiento y la acumulación de bienes no están prohibidos, porque las Escrituras los permiten en algún aspecto. Recuerde usted Corintios 12:14.

Duramos poco en Saugus. Al cabo de unos meses nos instalamos en una granja mucho más amplia, donde podía mantener a algunos jornaleros a sueldo y continuar con mi trabajo. Echaba demasiado de menos a mis compañeras de lectura de las Sagradas Escrituras en Londres, con las que me juntaba a debatir de nuestros designios y esperanzas. Decidimos irnos a un lugar a las afueras de la bahía, un sitio cerca del mar, pero lleno de verdor, un espacio distinto, donde vivir en una casa que no fuera de cristal, que no estuviera tan expuesta, donde pudiéramos ser útiles a nuestra sociedad. Nos fuimos a un lugar limpio, tranquilo, con enormes posibilidades. Un lugar verdaderamente puro donde empezar de nuevo. Nos fuimos a las afueras de Salem.

9. PLAZA JAUME SABARTÉS (ANTES)

Tengo treinta y tres años y tú treinta y siete. Llevamos dieciséis meses juntos. Hace dos meses que me has pedido que deje de tomar la pastilla que tú mismo me habías pedido que comenzara a tomar cuando iniciamos la relación, porque no te gusta usar preservativo.

Como todo en mi vida últimamente, esto no ha sucedido exactamente como esperaba. No hay una charla sosegada ni una progresión conjunta de nuestros sentimientos que nos haga darnos cuenta de que estamos buscando un hijo, sino una actividad performática que alguien dirige, imagino, y que yo admiro desde el embotamiento. No entiendo cómo hemos llegado hasta aquí. Como cuando te estás dando un agradable baño caliente y, de repente, medio grado más lo convierte en agua que te escalda, ¿qué es ese pequeño cambio imperceptible, qué es lo que lo hace intolerable?, quizás sean mis nervios a flor de piel, no sé, pero algo muta para siempre.

Un cronista del corazón diría que todo sucedió de manera natural. La escena es habitual cualquier fin de semana en el extrarradio de Barcelona. Un patio largo y estrecho tapizado de césped fresco, color verde suave, una casa de cemento visto, de dos plantas, que nos queda a la espalda. Creo que era Esplugues, que está situado cien metros por encima del nivel del mar, y tiene algunas masías antiguas; creo, no estoy segura. También podría ser la Floresta o Mirasol. Qué sé yo, las palabras se confunden y los topónimos a veces no tienen sentido. Los vecinos se nos acaban de unir, con lo que la comida se ha transformado en un plan de cuatro niños y seis adultos. Los niños ganan en estridencia por goleada. Todo esto sucede en un mediodía fresco de junio. Los pequeños corretean alrededor de nuestros tobillos, alguien carga leña y yo me veo obligada a hablar con las dos mujeres que hay a mi lado, cansadas de perseguir a sus hijos. Mi vista abarca todo el patio para intentar entender cuál es mi rol en este espacio, y en una esquina distingo a uno de los hombres intentando encender una hornalla situada sobre una bombona de butano.

No es la primera vez que esto sucede, por supuesto. Y como no es la primera vez, he empezado a darme cuenta de que algo me pasa en situaciones como esta, cotidianas, con gente. El espectáculo de los machos en círculo contemplando una hornalla de gas, arrodillados, como si se tratara del santo grial, mientras discuten si hay que ponerle más *fumet* o más romero, o si el arroz es mejor más o menos socarrado, ha comenzado a provocarme un fenómeno lumínico peculiar. Unas motas de polvo iridiscente aparecen alrededor de mis ojos, una luz hermosa, a la que quiero seguir, una luz que da paso a una voz, a un sentimiento nuevo, algo que me empuja hacia delante, que me genera unas tremendas ganas de soltarles una patada en la nuca a cada uno y llenarlo todo de sangre. A veces la patada es de frente, y entonces le salto los dientes a alguien. A uno de ellos se le hincha un labio. Veo cómo se amorata. Todo sucede frente a mí de manera tan real como la verdadera realidad, hasta que contemplo, un poco decepcionada, que la paella sigue su curso y suspiro, y cuando borbotea el arroz y todos se levantan, orgullosos, finjo sonreír con alivio a quien esté a mi lado en ese momento.

Pero hoy no será el día que le parta la cara a ninguno de estos hombres. No será hoy. Hoy, como siempre últimamente, soy buena. Hoy esta idea me sobrevuela lánguidamente durante un minuto y medio, hasta que cede la pulsión, y me dedico a tomar más vino del que debería. Mientras tanto, una de las dos mujeres me cuenta que no ha destetado a su hijo mayor, aunque ya come macarrones con tomate y tiene edad de saberse el abecedario de memoria. Asiento con tranquilidad, mientras noto cómo me aprieta el pantalón, transpiran los sobacos y una gota de sudor me resbala desde debajo del sujetador hasta el ombligo. Plop. Un rato más tarde veo cómo tú, mi pareja, has logrado, con mucha maña, encender el fuego y ponerte con el sofrito junto al resto de los hombres. Me pregunto si tengo que aplaudir. Me pregunto si eso es lo adecuado. Últimamente no tengo claro cuál es la reacción correcta, porque a veces me equivoco y te decepciono, y cuando eso pasa, tu mirada tan distinta del arrobamiento de cuando nos conocimos me genera un miedo enorme y mi agujero interior crece y crece y lo llena todo y yo acabo hueca. Por eso ahora me conformo con mirarte, es lo más seguro, ¿sí? Y tú me sonríes desde tu esquina, con complicidad, con tal alegría por el deber cumplido, tú has hecho el fuego y yo he sonreído, supongo que con algo que tú has leído como orgullo, por suerte no me he equivocado y, finalmente, mi ansiedad cede. Tú no sabes que yo detesto estas comidas, te has acostumbrado a que yo finja que me gustan y te relajas. No distingues mis imposturas, con lo listo que eres. Sí, listo y perspicaz, pero solo para lo que te interesa. Ahora has dejado de fijarte y mi fingimiento te basta, y como te destensas, cuando estás relajado eres divertido y amable. Me abrazas por detrás, me cuentas chistes, y me haces sentirme segura, especial. Única, supongo. Miro a la lejanía y distingo el mar en el horizonte y llega un recuerdo como una bocanada de agua salada.

Ocho años antes de ahora, tengo veinticinco años y es pleno verano. En septiembre empezaré a trabajar para el ayuntamiento tras presentarme a unas plazas públicas que se anunciaban en todos los periódicos. «Buscamos redactores de contenidos», decía, junto a una dirección de correo electrónico. Después de tres pruebas técnicas y una entrevista, me han llamado para comunicarme que he sido elegida, y mis amigas y yo llevamos celebrando mi nuevo puesto varios días cada vez que tenemos ocasión, lo cual no es difícil, siendo agosto. Mis amigas que comparten piso en la Meridiana me dan todo lo que puedo desear en este agosto en la ciudad. Anoche cayó una tromba de agua que dejó la ciudad anegada, el agua llegó hasta el Maresme, así que decidimos no ir a la playa, porque estará llena de ratas. La última vez que fuimos a la playa después de una tormenta bajaban desde la riera y las confundimos con perros pequeños, puaj, no vamos a pasar por lo mismo.

Aunque por la noche refrescó, el sol es fuerte, así que nos turnamos para ponernos delante del ventilador. Alguien dice que hay que comprar uno al que se le echa hielo, pis pas, y el aire sale más frío. Nadie tiene dinero para comprar un ventilador nuevo. Comparamos nuestras pieles a ver quién está más morena y nos debatimos entre dos posibles planes nocturnos: un concierto de Los Chichos o la fiesta mayor de Badalona. Nadie sabe, nadie decide. Llevamos vestidos ligeros de algodón y elastano y caminamos descalzas por la casa. Nos desperezamos como si fuéramos un mismo ente, intentando despejar una ligera resaca. Alguien va a la cocina y como por arte de magia trae una limonada. Oigo el sonido de los cubitos en los vasos altos, tumbada en el sillón del comedor. La Meridiana es menos ruidosa desde un noveno piso.

El agosto se estira sobre la ciudad como un presagio: el polen de los plátanos en el asfalto, los pájaros a primera hora de la mañana, y esta humedad pegajosa. Y la Sagrera es, en días como este, el mejor lugar en el que se puede estar cuando no tienes un duro. Es un espacio libre de turistas, en una época en la que ya empiezan a llegar a Barcelona en cruceros, lo hemos visto algún día que hemos bajado al centro, en dos años esto se ha llenado de guiris, como si fuera Lloret, tía, dice alguien, y es verdad, el centro es como Lloret en mi infancia, el mismo olor a cebolla frita y gofre recalentado, el mismo mar de pieles quemadas, la misma sensación de mareo por la cantidad de gente y sol, combinadas, gente y sol, gente en lata, sol en lata, el latón que te quema la piel cuando intentas sentarte sobre un capó cerca de la playa y tu madre te decía: quita de ahí, no ves que te vas a quemar, quita de ahí, te dice ahora tu instinto y no tu madre, cada vez que bajas de la ronda de Sant Pere. No les digo a mis amigas que, por lo que tengo entendido, está por construirse una gran estación de tren exactamente a cincuenta metros de donde estamos tumbadas. Alguien que conoce a alguien dice que se trata de una estación de AVE, que ya han comprado las tuneladoras, lo cual encarecerá los pisos por lo menos un treinta por ciento, así, a ojo, es buen momento de comprar, dicen.

Tocan el timbre. La que faltaba llega a casa: ha hecho el turno de noche en un hogar para mujeres y está muy cansada. «Quiere volver con el ex», dice, negando con la cabeza. Sabemos que habla de una chica a quien el novio le partió la mandíbula, nos lo contó el otro día, así que le decimos lo

81

siento, lo siento, y le preparamos la habitación para que descanse un rato, e intentamos bajar la voz y hablar en susurros, pero estamos demasiado contentas, hay demasiado por hacer, por inventar, charlamos demasiado fuerte, y nuestras bromas estúpidas nos hacen estallar en carcajadas. Al final ella se resigna y viene al salón. Decidimos ir a tomar un aperitivo a la calle Escòcia, y llenamos la bolsa de latas de cerveza. Salimos de día y nunca se sabe cuándo vamos a volver.

Nos sentamos, ociosas, en una terraza a la sombra. Pedimos mucha comida. Alguien cuenta que una vez folló, literalmente, entre Pinto y Valdemoro y vuelven las carcajadas. Miro mis piernas, tan blancas, bajo una falda suelta y me como un chipirón frito, caliente. Doy un trago a la cerveza. Miro la acera gris, los edificios grises, y la ciudad desierta y soy absolutamente inconsciente de la felicidad en la que estoy instalada, es como una balsa en un río tranquilo, un espejo liso por el que resbalo y nunca caigo, solamente me mezo, me mezo, me mezo.

Esta noche, en una discoteca, conozco a un hombre joven, guapo, rubio y extranjero, al que mis amigas y yo bautizamos como El Inglés. Yo llevo un vestido ajustado con un estampado de flores y me río con mis amigas, él me ve desde el otro lado de la pista y se acerca a preguntarme algo. Nos pasamos tres semanas metidos en mi casa hasta que vuelve a su país, porque está casado, tiene dos hijos y yo vivo en un piso compartido en Hospital Clínic. No sufro ni un minuto durante todo ese tiempo. Nunca logro olvidarle.

—¿Estás bien? —me preguntas, aún abrazándome por detrás—. ¿Qué te pasa? Estás muy callada.

—Nada.

Todos bebemos vino y los hombres volvéis una y otra

vez al tema político. Como estás contento, me preguntas mi parecer, algo cada vez más inusual. Me dan ganas de decir que no lo sé, que últimamente solo pienso en montañas de sangre. Géiseres de líquido carmesí que me rocían el cuerpo con sus gotas, enormes lagunas negras de sangre en las que me sumerjo mientras sucede todo lo demás. Pero no lo digo, porque hoy es un buen día. Intento centrarme en vuestra conversación e identifico el tema: procesos constituyentes. Bien, puedo hacerlo. Puedo recuperar el hilo. Pero de repente una de las mujeres interrumpe a su compañero para soltar una pulla sobre lo cansada que está por ocuparse sola de sus hijos. Ya lleva varias. Noto un deslizamiento en la correlación de fuerzas de las parejas que nos rodean. Me prometo que jamás seré así. Me digo que nunca ejerceré el papel de mujer enfadada que echa en cara a su marido que no se ocupa de sus hijos. Que jamás te humillaré. Tú me agarras la mano por debajo de la mesa y me la aprietas. Vuelves a centrar tu interés en mí y sientes lo que yo estoy pensando, te das cuenta de que soy buena, de que estoy de tu parte, y tu cara está, de repente, exultante de amor y nos sirves a todos otra ronda de vino. El líquido que cae al mantel se oscurece inmediatamente, formando manchas azules, casi negras. Tú te ríes, das un golpe sobre la mesa y le contestas a la pareja de tu amigo: cállate, no ves que la vas a asustar, y yo todavía tengo que convencerla de que es una buena idea lo de formar una familia, y todos ríen y silban, jocosos. Tardo un poco en darme cuenta de que una placa tectónica se acaba de mover, de que en algún lugar un exoplaneta se ha convertido en polvo mientras todo esto sucede aquí, mientras todos ríen y yo te miro, y te veo con el pelo lleno de remolinos y la ropa que huele a humo y a gas, y estás borracho. Habrá que ponerse, dice alguien, y todos ríen de nuevo y yo pienso soy yo, la elegida, la madre, y no pienso que quizás es demasiado pronto, ni en nuestras peleas cada vez más frecuentes y complejas, que se retuercen hasta que es imposible encontrar una salida. Nuestras peleas son vitriólicas y espesas, como un laberinto de alquitrán. Pero no pienso en eso, no, ni siquiera pienso en nosotros, pienso que soy la elegida una vez más, que es una señal de que todo está bien, que no hay espacio para la duda, un hijo hará que estés conmigo para siempre, sí, si tengo un hijo jamás me dejarás, soy la elegida, y cuando te eligen eso es algo bueno que poder contar, y tengo que contárselo a alguien porque seguro que alguien se pondrá muy contento de esto que acaba de pasar.

Días después estoy con la cara enterrada en la almohada y estamos follando mecánicamente, yo con la cabeza en la almohada, tú detrás de mí. Oigo tu cadera golpeando contra mi culo con un ritmo regular, pero nuestras extremidades pesan demasiado, tú no te corres y ninguno de los dos habla. Sudamos por el esfuerzo y alguien dice «mejor lo dejamos para después» y alguien más dice «no me hables así, no seas condescendiente, no es mi puta culpa que pase esto», y yo estoy tan lejos de ahí, tan lejos, como mínimo a mil metros de distancia, al menos en el campanario de la iglesia de la Mercè, donde tañen las campanas del domingo por la mañana, donde está la virgen con un pie elevado, dando un paso al frente hacia el abismo, mi virgen de bronce desgastado, la que hicieron más grande aún, desproporcionadamente grande, para expiar todos los pecados, mi virgen, mi ángel hecho mujer, y estoy arriba allí con ella y puedo ver toda la ciudad, menos mal, sé que si estoy ahí arriba y no en esta cama nada de esto importa, nada de esto fracasa.

IX. DEBORAH Y SALEM

¿Fui feliz en Salem? Es difícil saberlo. Ya no sé lo que es la felicidad, de la misma manera que no sé lo que es el amor. Mis certezas son pocas. Recuerdo que la casa que elegí era más grande y aseada, que entraba luz desde temprano y desde ella se veía toda la bahía. Que la elegí no porque fuera una mujer de sentimiento, sino una mujer de cálculo: así me había cincelado mi marido traición a traición y así acabé siendo. La casa quedaba cerca de tierras sin reclamar y las podría ir haciendo mías poco a poco.

Pero la tranquilidad era relativa. El primer escollo fue el reverendo Hugh Peter, un hombre de rostro enjuto, barbilla pronunciada y pelo grueso que me habías colocado apenas a unos minutos de casa. Otra vez una prueba tuya, Padre mío. Otro reverendo a quien rendir cuentas. Aun así, Salem era más grande, tenía un pueblo comerciante y un puerto amplio y ruidoso, y podía ir de casa a la iglesia y al mercado con cierta libertad mientras respetara algunos códigos.

No fue tarde, a mi edad, para aprender esos códigos. Una mujer existe para ser observada, dicen. Dios, nos has hecho humanas, con raciocinio y capacidad de tentar a los hombres, pero nos das el consuelo de la vejez, en la que una desaparece si se camufla lo suficiente. Yo era una mujer piadosa que podía pasar del pueblo, donde los granjeros pobres trabajaban la tierra dura, al próspero puerto para comerciar con habilidad. Ay, Dios, si me hubieras hecho hombre. Qué gran negociante perdiste. De haber sido Henry, Samuel o David en vez de Deborah, esta historia habría sido otra. Pero este fue tu designio, que seguí como el trazado de un mapa. Uno de los códigos que aprendí fue esconder mi rapidez a la hora de calcular mentalmente, mi vista para distinguir los tamaños de los sacos de trigo, mi destreza para la botánica y el comercio con las especias. Sin prisa pero sin pausa, descubrí el gozo de la acumulación. Pocos placeres comparables a saber que no me faltaría techo y comida caliente, que la riqueza podía multiplicarse y que la acumulación me daba poder. También aprendí de los errores: si para el reverendo de Saugus mi casa y mi vida eran transparentes y mi cuerpo un objeto sospechoso al que vigilar, solo a través del arte de la ocultación podría sobrevivir en Salem.

Hablando del primer reverendo. Pude acallarle con la Segunda Carta a los Corintios, pero para qué iba a engañar a este nuevo, el reverendo Peter, más poderoso, inteligente y, por tanto, mucho más peligroso. Que mi casa estuviera cerca de la suya fue un problema, no lo niego. Muchas se habrían amedrentado. Pero yo ya había aprendido que la edad era mi ventaja. También lo era la viudez. Nos reconocíamos en la iglesia, independientemente de los años que tuviéramos, fuéramos ricas o pobres, no importaba, todas sabíamos cuáles eran nuestras opciones y las aprovechábamos diligentemente. Si nos obligaban a la vida doméstica y a la familia, ¿qué debíamos hacer las viudas? Muchas de nosotras ya teníamos a los hijos criados y con descendencia propia. Mi Henry, sin ir más lejos, había regresado a Saugus y había conocido a una chica piadosa y anodina con la que quería casarse. Era un herrero común, bien adaptado a las nuevas costumbres.

Pese a que tuve que separarme de Henry sentí que, de alguna manera, era el momento. También para protegerle de lo que pudiera pasar. Porque en el nuevo mundo pasaban cosas inexplicables que podían asustar a almas sensibles. Al poco de estar en mi nueva casa me informaron de algo extraño: en Salem desaparecían mujeres. Pocas, pero desaparecían. Nadie sabía por qué. Solían ser chicas jóvenes, calladas y disciplinadas, de buena familia, que de un día para otro se esfumaban sin dejar rastro. Ni sus parientes podían explicar lo inexplicable, solo expresar su temor a Dios, como el resto. Los vecinos murmuraban en las puertas de sus casas, a la entrada de la iglesia, como si al susurrarlo justo antes del servicio religioso pudieran ahuyentar un espíritu que planeaba sobre nosotros, como un mal olor. Me dijeron que tuviera cuidado del diablo, que Salem parecía tranquilo pero el diablo está en todas partes.

Seguían los secretos, también en esta nueva vida. Yo podía comerciar, pero solo bajo mano, sin muchos aspavientos. No podía hablar en público, ni hacer política, ni siquiera ocuparme de una familia aunque para mí eso era ya irrelevante. Salem se me presentaba como una hoja en blanco que debía aprovechar, un lienzo nuevo, mi propio futuro que podía pintar, aunque no como quisiera, puesto que tenía que seguir una serie de directrices. El pecado acechaba, decían todos. Ah, pero los padres fundadores nos dieron un hilo muy fino del que tirar, sin pensar en sus implicaciones. ¿Cómo no se dieron cuenta? A las mujeres nos dejaron el ámbito doméstico, y la obligación de predicar la moral y la religión entre nosotras. ¿Acaso no era esa la idea de paraíso? En Salem podíamos ir y venir a nuestro antojo, de casa en casa, con la tranquilidad de estar cumpliendo con los preceptos de la comunidad. Visitábamos a enfermos, apoyábamos las misiones para evangelizar salvajes, incluso podíamos enseñar tu palabra divina, siempre entre cuatro paredes, siempre para las de nuestro sexo. Nuestro techo era bajo, pero podíamos respirar.

Diez o quince mujeres encerradas en una casa, sin necesidad de susurrar, hablando y debatiendo la palabra de Dios. Pero ¿esta gente era idiota? ¿Cómo no se dieron cuenta? Anne. Ahora que todo ha terminado, y que ya no puedo volverla a ver, déjame, Dios, que lo recuerde todo antes de que doliera. La primera vez que la vi, curándole una herida en la rodilla a su hija pequeña, que tenía el pelo del color de las brasas, nuestra querida Susanna. Era capaz de todo, Anne, con sus manos como pajarillos y su tez de porcelana, algo más joven que yo, no mucho más, pero siempre la sentí como una hija, o, mejor, como una sobrina mucho más ágil y despierta con la que no nos uniera ningún vínculo de sangre. La sangre, ya sabemos, no conduce a nada bueno. Las dos habíamos crecido en el campo, me enteré después. Las dos habíamos pasado el inicio de nuestra vida adulta en Londres, prácticamente en la misma época. Era un milagro que no nos hubiéramos conocido allí, o quizás el milagro fue que nos conociéramos más adelante, en esa sábana en blanco que era Salem.

Ahora que el tiempo ha pasado y solo queda este polvo salado en mi boca, déjame que recuerde lo que me maravilló de ella: su capacidad de conjugarlo todo, una esposa con una docena de hijos, una casa que mantener y, aun así, la tenacidad para obedecer tu designio divino. Nada distraía a Anne cuando estaba concentrada en su deber. Ni siquiera su marido, el señor Hutchinson, un hombre callado que molestaba poco. Hasta en eso había hecho una buena elección. Vivir así es un arte, y ella lo hacía estupendamente bien. Jamás se quejaba de sus quehaceres, sus sermones eran de una inteligencia y una precisión milimétricas, y sabía, además, que estaba educando a sus hijos para que fueran una estirpe de ganadores. Sus hijos mayores prosperarían en nuestro nuevo Canaán, y el destino demostró que así sería. ¿Qué fue del primero? ¿Se hizo general? ¿Comerciante? Ay, Dios, a veces me haces estas jugarretas y me falla la memoria. Pero recuerdo lo importante: su profesión de partera en este nuevo mundo le daba acceso a todas esas mujeres a las que íbamos a convencer para nuestra revolución. Era perfecta, Anne, era perfecta.

Juntas fuimos grandes, ¿no crees? Ahora que viene el fantasma del día en que nos conocimos, cuando fue nuestro mejor momento, Dios mío, Dios querido, no me hagas hablar de lo de después. Déjame recordarla como la conocí, déjame a mi Anne un momento, en este instante, bajo toda esta tierra salada. Al fin y al cabo, para lo otro tenemos la eternidad entera.

10. CALLE DEL CARME (ANTES)

Mientras los tres hermanos paquistaníes se repantingan en tres sillas giratorias, el locutorio fosforece. Son las once de la mañana de un noviembre helado, y ninguno de los tres tiene ganas de nada. Han abierto hace apenas diez minutos, y ha sido por culpa de la tipa que veo ahora en el reflejo del cristal, que lleva un rato merodeando, sin decidirse a entrar, como un gato indeciso, uno de esos que rondan por las Drassanes y el puerto, al acecho de los restos de pescado podrido que dejan a veces las gaviotas. Las gaviotas son cada vez más grandes y gordas, cualquier día se comen a los gatos, a nadie le extrañaría. Cada vez pasan cosas más extrañas, los animales están inquietos. Cuenta una leyenda de la ciudad que hay un agujero que conecta con el inframundo y que ese agujero está situado en las tres chimeneas de Sant Adrià del Besòs, esas enormes moles de cemento que parecen sacadas de una película de ciencia ficción, pero yo no lo creo, es evidente que la puerta al inframundo está en algún lugar del Raval. La gente del barrio lo nota, los animales tienen poco espacio, no pueden respirar en las calles estrechas y con poca luz y últimamente hacen cosas raras. El otro día me crucé con un perro que se daba cabezazos contra la pared en la calle Sant Vicenç, se lo dije a alguien y no me creyó, pero sé lo que vi, y la prueba de ello es que todavía está la mancha de sangre como si fuera un garabato contra el cemento. Puede que el perro tuviera la rabia, pero es mejor no indagar más, no sea que me tomen por loca.

Al final la mujer entra, tiene cara de sueño pero los ojos muy abiertos, como si intentara mantenerse despierta a base de forzarlos, y mira todo a su alrededor y pide una cabina. Ninguno de los tres chicos se extraña, el barrio está muy raro, suponen que es una guiri a la que le han robado el móvil, o una yonqui que no sabe ni dónde está, o quizás las dos cosas, quién sabe. La mujer con pinta de cansada que veo reflejada en la cabina del locutorio soy yo, por supuesto.

–Hola, ¿me oyes? Sí. ¿No me reconoces? Sí, ha pasado muchísimo tiempo. ¿No te alegras de oírme? Perdona, es horario laboral, sí, pero tu secretaria ha sido muy amable, me ha dicho que tenías algo de tiempo. Bueno, pero tienes cinco minutos, ¿no? No, no te preocupes, no ha pasado nada grave. Estoy bien. ¿Tú estás bien? Es que hace tanto que no sé de ti. Hoy justo estuve buscando tu dirección, porque tengo que ir a Bristol por trabajo, y pensé que igual te habías mudado, no sé. No sé por qué estos días estoy pensando mucho en el tiempo que pasamos aquí juntos, no sé, y pensé que podría ir a visitarte. Solo se me ocurrió que sería bonito, sabes, no tengo ni una foto tuya, ahora que todo el mundo tiene móviles con cámara y todo eso, pensé en las veces que te esperé en aquella plaza, o cuando me esperabas tú, y seguro que acabamos apareciendo en las fotos que hacían los turistas. Pensé en todos aquellos codos, ¿te acuerdas que bromeábamos sobre en cuántas fotos habríamos salido? Recuerdo eso, esperarte en la plaza en la que siempre había gente y que algún turista japonés nos habría pillado, a ti o a mí, un trozo de cara, un ojo, algo. Cada vez que nos íbamos sabía que, cuando llegara a su casa, tu barbilla, o mi pelo, o una manga estarían en una esquina, cortados, para siempre en esa foto de un señor japonés, congelados ahí, siempre.

»Nada, pensé que podía pillarme unos días e ir a verte. Me acuerdo mucho de ti. Este verano hemos ido a la playa, aunque a él no le gusta nada la playa, pero fuimos con unos amigos, y la casa era hermosa, había higueras por todas partes, te hubiera encantado, en cuanto te despertabas y abrías la ventana estaba todo lleno de árboles cargados de frutos. Fuimos en barca, en una lancha a motor, y el mar era muy agradable, azul, lleno de destellos. Cuando era pequeña a los destellos del mar yo les llamaba purpurina, ¿te lo dije alguna vez? Bueno, la cosa es que estábamos en la playa y me acordé mucho de ti porque vi un faro, qué tontería. Me acordé de la postal aquella del faro que me mandaste a las dos semanas de irte. Pensé en cómo estarías, si hace mucho frío donde estás... Claro, tiene que hacer frío, por supuesto, qué pregunta.

»Quería preguntarte qué pensarás ahora de la gente que se hace fotos en las redes, cuántos codos y barbillas hay por todas partes, replicados, me da mucha angustia no saber qué piensas de eso, a veces me sorprende saber que nosotros no tenemos nada, ni una foto, nada.

»¿Cómo están tus hijos? ¿Hablan ya? Claro, qué tontería. ¿Nueve y doce? No puede ser. Pero si no hace ni dos años... ¿Ocho años hace ya? Sí. Perdona. Claro, estás ocupado. No te molesto, será solo un segundo. Solo quería decirte que cuando estuve en la playa me acordé de cuando fuimos juntos al mar, aquella vez, y me dijiste que tenía que hacer lo que quisiera en la vida, y yo te dije que lo que quería era estar contigo delante del mar, como en ese momento, y tú dijiste que eso no era un deseo de verdad, que tenía que buscar un propósito, algo que hacer. No dejo de pensar en eso, y cada vez que veo el mar pienso en ti, lo cual, viviendo en Barcelona, es muchísimas veces, no, no me interrumpas, perdona, sé que no debería haber llamado, solo quiero decirte que nunca he dejado de pensar en ti, que soy feliz pero no puedo dejar de pensar en estar contigo, no, por favor, no me cuelgues, de verdad que estoy bien, ya sé que es una tontería, perdóname, mejor olvídate de esta llamada. Claro que estoy bien, ¿tú estás bien? A mí solo me importa que tú estés bien, perdona, tengo que colgar ahora, hablamos algún día, claro que sí, venid a vernos a Barcelona con los niños, nuestra casa es grande, muchas gracias, sí, de verdad que no pasa nada, adiós, adiós, *bye*.

Los tres hermanos paquistaníes llevan los cascos puestos, por lo que no oyen a la mujer que sigue al fondo, llorando silenciosamente, agarrada a un teléfono. A los cinco minutos llegan dos chicas suecas y piden una tarjeta de prepago y nadie se fija nunca más en ella, en mí.

X. DEBORAH Y ANNE EN LA MADRUGADA

He empezado este diálogo dirigiéndome a ti, Dios querido, pero ahora es imposible no hablarte a ti, Anne. ¿Qué decirte, si te tuviera delante? Lo primero de todo, que te equivocabas, claro. Aquí estoy, hablando contigo, mi cuerpo me pesa pero mi conciencia está intacta. ¿Cuántos debates tuvimos en tu salón sobre la vida después de la muerte? Tú insistías en hablar de ello con franqueza, como si no hubiera peligros. Siempre tenías que ir más allá, siempre hasta la herejía, hasta la guerra. Recuerdo perfectamente cómo empezaba todo, sentadas a la mesa redonda de caoba, tú rodeada de cosas, tantas cosas, montañas de toallas, sábanas, peladuras de fruta, ocupándote de un niño u otro, todo era caos a tu alrededor, pero no te dabas cuenta. En medio de ese caos, o más bien presidiéndolo, estabas tú, restándole importancia, hacías las cosas sin pensar, como una sonámbula, con la más profunda convicción de que todo lo material te molestaba, lo único que importaba era que tenías que convencerme.

–Tú eres la primera que entiendes que nuestro amor por Dios es una decisión, Deborah. ¿Cómo puedes no entender que eso nos otorga poder para decidir sobre nuestra existencia? ¿Quién decide cuándo y cómo vas al mercado? ¿Acaso Dios te empuja a venir a casa y tener estas conversaciones? No, es tu propia convicción.

Oías mi silencio, mi duda, como una traición.

—¿Quién te subió al barco? —insistías.

—Dios.

Ahí te reías. Siempre te reías con cierto desprecio cuando yo no alcanzaba a ver algo que tú ya sabías.

—Querida Deborah, ¿no lo entiendes? Tú eres la dueña de tu destino. Te subiste a ese barco con tu hijo por tu pobreza, porque si no lo hacías ibas a morir. No entiendo que no seas capaz de asumir lo que nos pasa, ¡eres una mujer muy inteligente! Te subiste a ese barco porque era lo que tenías que hacer, no porque te lo dictara Dios, no porque estuviera escrito.

Y a mí comenzaba a temblarme la voz. Una cosa era hablar en privado de nuestros deseos y elucubraciones, pero esto era distinto.

—Pero eso es un sacrilegio, Anne. Nosotras somos seguidoras de las Escrituras.

—Por supuesto.

—Nuestro destino está decidido.

Y volvías a reírte.

—Deborah, no. Ahí te equivocas.

Seguías y seguías, hasta que se nos hacía de noche, elevando cada vez más la voz, intentando hacer entender a esta vieja dura de mollera lo que podíamos llegar a hacer, lo que realmente éramos.

—Cuéntame otra vez tu diálogo con el reverendo de Saugus.

—Anne, es ya de madrugada. Hace frío y apenas hemos dormido, tengo miedo.

—¿De qué tienes miedo?

95

–Del diablo.

Reías.

–Bueno, no es un temor menor. Anda, cuéntamelo de nuevo.

–El reverendo me llamó la atención porque estaba ganando dinero y no debía acumularlo y yo le rebatí con los Corintios.

–¿Y por qué hiciste eso?

–¿Qué más da? No sé, me salió.

–Eso no es verdad. No me mientas. No seas estúpida, que entre nosotras no haya nunca la necesidad de fingir inocencia o falsa piedad. –Dijiste eso con los ojos negros brillantes como canicas y apuntándome muy seriamente con tu dedo, blanco como el yeso–. ¿Por qué lo hiciste?

–Sentí una voz que me empujaba a hacerlo y...

Diste un golpe sobre la mesa con la mano abierta que hizo temblar los libros que tenía encima. Un niño, dormido en tu pecho, empezó a lloriquear.

–¡NO!

–Una voz que me decía...

–¡NO!

El llanto del niño se hizo más fuerte.

–¡De acuerdo! –grité.

Y luego, muy despacio, como si siseara una serpiente.

–Fue mi voz, era yo. Quise rebatirle, quise ganar a ese reverendo con cara de cerdo que no dejaba de hostigarme.

Y por fin se hacía el silencio, Anne, y me mirabas con tu media sonrisa golosa, contenta de haber ganado la partida. Y me acariciabas la mano y me abrazabas, como se abraza a una hermana.

–¿Lo ves, querida, lo ves?

Yo callaba, contenta de haberte agradado por fin, feliz de haber resuelto un acertijo aunque fuera un acertijo que implicaba un precipicio tan grande, un salto al aire, al vacío más absoluto. Pero, Anne, aquellas noches con el calor en las entrañas de quien sabe que algo va a pasar..., no hay nada comparable a la anticipación que sentíamos, la certeza de que algo iba a pasar.

11. TURÓ DE MONTEROLES (AHORA)

Me despierto sobresaltada porque se me ha aparecido una rusalka. Una rusalka, un demonio. Creo que se me aparece en sueños, pero no estoy segura, porque casi no duermo. Quizás está ahí, agazapada, entre los muros de cristal de este ático en la Castellana, prensada como una luciérnaga, y solo sale por las noches. ¿Cómo respirará, si es que lo hace? Aun así, eso no es lo importante. Qué más da su condición material. Solo sé que al principio me sobresaltó su aparición, la contemplé desde mi cama, desconcertada y sudorosa. No sabía lo que era, porque adoptó ante mí la imagen de mi mejor amiga de la adolescencia, Victoria, una chica bajita, con diastema, de pelo castaño claro y los ojos del color de las algas, a la que dejé de ver hace más de quince años.

Cosas que recuerdo de Victoria desde esta habitación acristalada, desde esta burbuja de aire que no es nada: le gustaba la música *new age,* los jardines japoneses y leer filosofía barata. Dicho así parece que fuera gilipollas, pero no lo era en absoluto.

Nos conocimos la segunda semana de clase en el instituto. Ya se habían formado grupos, estaban los populares, estaban los que hacían su vida y estábamos los perdedores sin amigos, como yo, que habíamos transitado de la infancia a la adolescencia en soledad y al empezar el bachillerato en un centro nuevo vagábamos durante el recreo, como corderitos, buscando una madre. Victoria era de los que son tan pero que tan molones que pueden hacer lo que les dé la gana. Se me sentó al lado en clase de dibujo técnico, me pidió el compás y me hizo muchas preguntas. De dónde vienes tú. Qué te interesa. Nadie me había preguntado jamás qué me interesaba. Era una pregunta tan sofisticada, tan adulta, que me quedé muda. Aunque eso era lo normal, yo no solía hablar mucho. Desde mi primera infancia, la gente de mi edad me parecía idiota y cruel a partes iguales. No tuve hermanos, así que mis padres llenaron la casa de sobreprotección y ternura. Mi socialización fuera del colegio comenzó a los ocho años una vez que mis padres me llevaron a pasar la tarde en casa de unos vecinos con hijos. Cuando los adultos se fueron al cine los otros niños me ataron a una silla y jugaron a torturarme con una aguja de tejer. Nunca les dije nada a mis padres, pero no olvidé el sudor y los pinchazos y, sobre todo, la sensación desconocida en el estómago, una oleada de angustia que se extendía por todos los miembros de mi cuerpo como un lodo inmundo, mientras comprendía que alguien con mucha menos inteligencia que yo podía acabar conmigo si se lo proponía. El mundo exterior era un lugar inhóspito con unas reglas absurdas, todos eran animales. Así que me refugié en mí misma y no confié en nadie.

Hasta que llegó Victoria con esa pregunta: qué te interesa. Lo dijo con voz suave, casi maternal. Y no se fue aunque no le contesté, solo miré sus ojos de liquen, y ella me miró y sonrió, y no se fue. Supo ver más allá de mi torpeza, y me adoptó. A partir de ahí, no tuve que preocuparme por nada. Tenía una amiga.

Victoria vestía siempre de manera conservadora, con polos oscuros y tejanos, probablemente para ocultar que tenía las piernas cortas y unas tetas enormes, que causaban risas entre nuestros compañeros de instituto. Por esas tetas y su dulzura natural tuvo siempre muchos pretendientes. Recuerdo a uno en especial, de pelo negro ensortijado y piel blanca, muy amable, a quien le cortaron la luz del piso en el que vivía cerca del puente de Vallcarca, como Victoria, porque sus padres llevaban un mes sin pasar por casa y se habían olvidado de pagar la factura. O eso decían. Más adelante supimos la verdad: la madre se había fugado con la fianza del alquiler para pagar al camello antes de que le rajara el cuello. Era yonqui.

La madre de Victoria no era yonqui, era dentista, y su padre se había ido hacía muchos años y no se sabía nada de él. Al menos Victoria no le mencionaba. Su madre se había vuelto a casar y por eso Victoria tenía un hermano pequeño y un nuevo hombre en casa, al que llamaba papá a veces, cuando la cosa estaba tranquila y todos se llevaban bien. Victoria sabía que así agradaba más a todos, y a ella no le costaba mucho esfuerzo agradar.

Me fumé mi primer porro de hachís un día que su familia se había ido de viaje, a esquiar, creo, y la habían dejado en casa, lo cual era una suerte pero evidenciaba algo que nunca comentábamos pero que era transparente: Victoria no tenía supervisión alguna. No era la única. Pronto conocí a varios adolescentes con padres ausentes como Victoria y el chico amable que aparecía por su casa para comer caliente, chavales que pasaban días y noches enteras haciendo lo que les daba la gana. Entre semana, pasaban las tardes en el *ateneu* de Vallcarca con un calimocho, ensayaban en locales con sus grupos de jevi y bebían cerveza en el parque hasta la madrugada. Los que tenían moto se mantenían con lo que ganaban como repartidores de pizzas. En las cadenas de pizzerías nunca te preguntaban la edad. Tenían vidas prácticamente autónomas con quince años.

La casa de Victoria estaba situada justo en la encrucijada entre República Argentina y la calle Gomis, la proa de un buque de cemento y cristal, y desde allí se podía ver un gran pedazo de cielo y la avenida Hospital Militar. La finca tenía un puticlub debajo, y a veces te cruzabas con algún borracho que se había quedado dormido en la escalera con los pantalones aún bajados y tenías que sortearle. Aun así, merecía la pena ir por lo que te esperaba arriba. Cuando entrabas al piso siempre olía a especias orientales. La madre de Victoria ensayaba platos que nos daba a probar, sabían un poco a perfume con pasas de uva. Comida de colores rojos y naranjas intensos que te manchaba las comisuras de los labios y que ingeríamos obedientes para que nos dejaran en paz.

El marido de su madre aparecía a veces antes de la cena, a veces después, y nos sonreía y nosotras le devolvíamos la sonrisa desde el cuarto de Victoria. Avanzaba por la casa con la torpeza de un señor despistado, que veía cómo a su alrededor las mujeres brotaban y hacían cosas y tenían secretos y deseos y cuchicheaban. Él sonreía y a veces negaba con la cabeza, como si lo que sucedía a su alrededor fuera producto de una magia ignota.

Victoria y su casa en el puente de Vallcarca, en mi recuerdo, son del mismo color cotidiano de la adolescencia: color café con leche, color piedra pizarra, color humo de porro. Las obligaciones de Victoria incluían bajar por Hospital Militar rumbo al supermercado del barrio, donde hacía la compra semanal de toda la familia, y cuidar de su hermano pequeño. Yo la acompañaba gustosamente, mientras hablábamos de cualquier cosa. El tedio de sus rutinas,

101

que tan pesadas le resultaban, era para mí una alegría. Por fin tenía una amiga, por fin podía agarrarme a ella con el cemento del cariño adolescente, como un molusco a una roca. Por fin podía huir de mi casa, tan normal, tan protegida, tan insulsa.

Victoria me enseñó a fumar en el Turó de Monteroles entre pinos y eucaliptos, junto a una pandilla de desarrapados que iban todos los días. Allí hablábamos durante horas, allí y donde fuera, juntas o cada una desde su casa. Nos pasábamos horas al teléfono. ¿De qué habláis?, preguntaban nuestras familias, la autoridad competente, a veces entre risas, a veces molestos porque necesitaban el teléfono. De todo lo que no hablas tú, nos daban ganas de contestar.

Victoria pensaba distinto a la otra gente que conocía, por eso me gustaba estar con ella. Entendía cómo funcionaban las relaciones sociales, y eso me ayudaba en mi timidez extrema. Con ella comprendí las reglas básicas del mundo exterior, incluida la más necesaria entre nosotros los adolescentes: generar tu gusto propio, personal. «¿Qué te interesa?» Esa había sido su primera pregunta, y era pregunta de examen. No le importaba lo que pasara afuera, lo cual no era común a esa edad. A Victoria le gustaba que fueras único, original. Por eso se fijaba en gente extraña. Porque, de alguna manera, ella también lo era. Victoria, con sus jerséis de cuello de pico, sus pendientes de oro y sus mocasines, podría haber resultado una marciana a nuestros dieciséis años, entre nuestros pelos rapados o decolorados, los chándals y las camisetas de grupos de punk, pero no se lo pareció jamás a nadie. Esa era la seguridad que emanaba. Su órbita era la gente arisca, áspera o extremadamente tímida, a la que ella adoptaba. Éramos siempre gente dejada de lado en el instituto. Las maricas, las flipadas, chavales huérfanos que metía en casa cuando sus padres no estaban y que hablaban con ella de cosas realmente íntimas, que no le habían contado a nadie. Llegábamos por turnos, nunca a la vez. Teníamos con ella una relación unipersonal, sofisticada, única. Victoria no te daba una amistad: te ofrecía una identidad completa, hermética, segura. Siempre tenía tiempo y amor para todos. Victoria era nuestro Jesucristo, al que íbamos en procesión, desfilando por el puente de Vallcarca, o por el Turó de Monteroles, en busca de cariño, día tras día.

Una tarde en que aparecí sin avisar la encontré en la esquina de su casa pegándose el lote sobre un Renault rojo con Joel, un skinhead muy alto que hacía tercero de BUP en el turno nocturno. Él tenía la mano debajo de su jersey y ella la cara enrojecida. No pude oír sus resoplidos pero los imaginé. Me fui sin que me vieran.

Quedaban pocos días para la selectividad cuando Victoria me llamó por teléfono a casa, muy nerviosa, y me citó en el parque a fumar. En cuanto la vi llegar confirmé lo que había presentido al teléfono, que pasaba algo grave. Siempre se mordía las uñas, pero ese día tenía los dedos en carne viva, e intentaba ocultarlos, a ratos, en las mangas de su camiseta de manga larga. Su pie se agitaba como si tuviera vida propia, como un animal epiléptico, un pájaro aleteando antes de morir.

—Me mandan a Brighton —dijo—. La muy puta de mi madre ha estado revisando los cajones y ha encontrado el costo, así que han decidido mandarme fuera. Dicen que necesito centrarme. —Tenía los ojos muy abiertos, y comenzó a morderse una de las uñas de nuevo—. Me mandan de *au pair,* ¿tú sabes lo que es eso?

Negué con la cabeza.

—Planchar ropa y limpiar mierda de bebé, eso es lo que es. Dicen que así aprenderé inglés. Un año entero haciendo de criada para unos guiris. –Sus ojos del color de las plantas acuáticas se llenaron de lágrimas y empezó a moquear. La abracé. Victoria lloraba e hipaba, inconsolable. Quise preguntar más, pero no me atreví. Solo la abracé durante mucho rato, y le juré que me mudaría con ella, que encontraría un trabajo, que todo saldría bien. Bebimos cervezas y chupitos en el bar de la esquina del instituto y caminamos juntas hasta su casa, que olía a curry desde el ascensor. No entré, ni Victoria me invitó a entrar. Un par de semanas más tarde, tras concertar una cita, como siempre, la ayudé a empacar una maleta enorme, casi tan grande como ella, que, una vez hecha, arrastramos por el pasillo hasta el recibidor bajo la atenta mirada de sus familiares. Nos quedamos en vela toda la noche, escuchando música y parloteando sin que nadie en su casa pudiera evitarlo. No recuerdo mucho más de ese verano.

La siguiente vez que nos vimos, un año después, Victoria tenía el pelo más oscuro y una piedra brillante en la aleta de la nariz. «Es un *piercing*», me dijo, mientras me abrazaba. Olía a productos de limpieza y a Marlboro Light mentolado y trabajaba en un restaurante español –donde, según me aclaró, cobraba el doble en propinas que cuidando bebés y haciendo camas en casas inglesas–, y me contó lo que era un cunnilingus, algo que le había practicado un compañero de trabajo la primera vez que se enrollaron. Estaba locuaz y feliz de verme, y había algo rápido y resolutivo en sus movimientos que no supe entender en ese momento pero que ahora sé que corresponde a la edad adulta. También me dijo que había probado la cocaína, y que la hacía trabajar más deprisa y dormir menos.

Ahora que lo he olvidado todo, o casi todo, que las pastillas han devorado mi masa encefálica –o eso imagino, todo ese polvo amarillento, fundiéndose en mi sangre, acabando con mi imaginación, con mis recuerdos–, solo quedan algunos instantes adolescentes. No recuerdo prácticamente nada del después, pero sí nuestra adolescencia al completo. Aquella vez en segundo de BUP cuando nos fuimos a una casa en Coma-ruga, con otras tres adolescentes, y Victoria se emborrachó con licor de melocotón hasta perder el sentido. Cuando recuperó la conciencia se pasó un día entero vomitando una mezcla de espaguetis y agua. Ahí está Victoria con el pelo revuelto en mechones húmedos, y yo le sostengo la cabeza en la taza del váter, mucho antes de que se le oscureciera por la falta de sol, allá en Inglaterra ¿Acaso no sabe la gente distinguir a la familia que uno ha elegido por el color del pelo? La gente a la que realmente conoces es aquella a la que has visto transformarse, a la que has querido desde antes de ser lo que es hoy, ahora que ha formado una identidad menos áspera, más amable.

Yo sé que Victoria tuvo el pelo rubio oscuro antes de que, en la veintena, se le volviera color ratón, pienso ahora maravillada, desde mi casa de cristal. Me acuerdo de una alfombra raída que se compró Victoria para su piso de Londres –donde asumí con cierta resignación que no viviríamos juntas– y de cómo, cuando fui a visitarla, nos quedamos dormidas en ella después de fumar y beber vino español barato comprado en un súper. En aquel momento ya empezaba a enamorarse de chicos con los que no tenía nada que hacer, aquel año era un saudí con el que compartía piso junto a otros seis tíos, a quien ella abrazaba con pasión cuando se cruzaban por los pasillos, sin que nadie les viera. Llevaba bambas blancas y un reloj de oro, fumaba marihuana abiertamente y una de las pocas veces que hablé con él me dijo que quería ser rapero en lugar de llevar el millonario negocio familiar. Un día, muy borracho, me contó que tenía que casarse con una muchacha de uñas de gel y pelo alisado con plancha, de buena familia, y sobre todo musulmana, que había conocido en el Royal College of Arts, que a veces rondaba por el piso. Cuando él aparecía de la mano de su novia, Victoria se recluía en su habitación y no salía ni para comer. Ni aunque le dijera que era mejor que fuéramos a dar una vuelta, Victoria no podía despegarse de esa casa. Empezó a leer el Corán. Estudió árabe. Se convenció de que él la amaba solo a ella. Aquella historia duró un año entero, hasta que el saudí volvió a Riad.

Vinieron otros. Un publicista que frecuentaba el restaurante y la invitaba a un barco que tenía atracado en un muelle en Camden, un fotógrafo belga que todas sabíamos que era homosexual pero que, oh sorpresa, bebía los vientos por Victoria, y a quien ella convirtió, brevemente, a la heterosexualidad. ¡Con qué orgullo se pavoneaba delante de nosotros con él! Su hombre era perfecto, o lo fue al menos un tiempo. También hubo un esquiador italiano cocainómano a quien ella persiguió durante un año y que a veces aparecía por su casa, cuando no tenía dinero ni techo, le decía cuatro palabras al oído, se encerraban y ella dejaba de llamar durante semanas, hasta que él volvía a irse. Todos se iban, poco a poco dejaban Londres, pero Victoria seguía allí, como mucha gente que queda atrapada en una metrópoli de ese tipo, como un insecto golpeando una ventana. Ella, como tantos otros, trabajaba en restaurantes y tiendas de la zona 1 del metro mientras compartía piso en la zona 5.

Victoria desapareció de mi vida hace más de quince años, justo cuando conoció al que es su marido, un ingeniero de Valencia bueno y normal que le proporcionó estabilidad y un hijo. Para ello, pasó antes por ser su amante durante más de dos años hasta que él dejó a su mujer y le dio lo que más ansiaba, supongo, una familia. El fin de nuestra amistad, por supuesto, coincidió con esa nueva etapa. Llevábamos semanas hablando una y otra vez del asunto, hasta que quedé agotada. Una noche que se eternizaba, una vez más, por su angustia amorosa, me cansé y critiqué con dureza que él tardara tanto en separarse. Volví a echarle en cara su dependencia de los hombres y, lo que es peor, hice el recuento de todas esas humillaciones desde mi prístina superioridad moral, supongo que para acercarla a mí de nuevo. Pero me equivoqué. No vi el brillo endurecido de los ojos de Victoria. Nadie le iba a pinchar el globo esta vez. En cuanto él tomó la decisión, ella dejó de contestar mis llamadas y mis cartas. No sé de qué me extrañé, estaba en su derecho de empezar de cero y, sobre todo, de no ser juzgada. Victoria me extrajo de su vida como se cauteriza una herida, simplemente quemó lo que estaba infectado, que éramos nosotras, nuestra relación simbiótica, y desapareció. La peor venganza, aprendí en ese momento, es que te dejen con la palabra en la boca.

Volví a ver a Victoria anoche. Apareció en mi duermevela, se presentó en mi salón vacío, como si caminara por la superficie del mar, tan lisa como un espejo. Mi rusalka, un fantasma, un demonio de agua con la forma de una mujer que, por lo que sea, ha desaparecido de manera violenta, sin que ese fuera su deseo. La rusalka: una sirena de la mitología eslava que vive en el agua. Pero no hacía falta recurrir al folklore para entender que mi rusalka era Victoria. Intenté levantarme para verla bien, pero algo me bloqueaba el paso y no me dejaba avanzar. Al bajar la vista vi que caminaba trabajosamente con la ayuda de unas muletas, y que sus piernas eran como dos ramitas. Tenía la tez del color del papel de fumar, transparente, los cabellos largos, lacios y gruesos, como las hebras de una escoba. Y sus ojos, antes verdes y grises, estaban completamente blancos, sin pupilas. Victoria se acercaba a mí y con su aliento vegetal me decía que el niño estaba muerto, que no preguntara más por él. ¿Qué niño?, grité yo. Y ella sonreía, sin más. Hoy, otra vez insomne, he buscado su rastro en internet hasta asegurarme de que Victoria está viva. Sí, lo está. No ha sido fácil encontrarla, siempre fue una persona escurridiza, pero he dado con ella en unas fotos de su nuevo vecindario, en una ciudad noruega donde su marido trabaja como consultor en algo técnico y complicado. Tiene una casa y un hijo, y parecen felices. Todo el mundo parece feliz en las fotos.

Después de perderla tuve otros amigos, pero nunca quise a nadie como a Victoria. Aún recuerdo su cuerpo adolescente, tan cercano. Aunque me he quedado sin memoria, sé de todos los lunares que contienen sus brazos y su espalda, sé cuál es el color sin barnizar de sus uñas mordidas, sé cómo es su barriga, dónde se curva exactamente, conozco la textura de su piel cuando está seca, recuerdo sus bragas blancas, sus sostenes que apenas contienen la amplitud de sus pechos, podría dibujar con precisión sus pantorrillas, su vello corporal, tan rubio que es transparente. Ahora mismo, en esta casa de cristal vacía en Madrid, puedo ver los gemelos de sus piernas al tensarse cuando sube la cuesta de la avenida Hospital Militar, apenas una adolescente cargando con el carrito de la compra, la veo arrastrarlo, tan pesado, veo sus pies calzando unas manoletinas viejas y desgastadas, y quiero volver atrás y ayudarla a subir el carro todos esos pisos hasta su cocina. Ayudar a cargar ese peso monumental que arrastraba, día tras día, con apenas dieciséis años.

Hace poco descubrí que el Turó de Monteroles no existe. Su nombre oficial es Parc de Monterols. Cuando yo era adolescente era solo el Turó de Monteroles, la escalera sucia donde se instalaban los skinheads y los porreros con chándal cuando se saltaban las clases.

En estas noches insomnes que invierto frente al ordenador veo en la web del ayuntamiento que el *turó* sucio en el que pasé parte de mi adolescencia no es solamente esa escalera de piedra fría, sino que más allá había una especie de bosque con robles, cipreses y encinas, y columpios para niños, donde ahora la gente va a correr y a pasear a los perros bien alimentados de los barrios buenos, Sant Gervasi y el Putxet. Pero nosotras jamás subimos aquella montañita, jamás pasamos de aquella escalera, ni se nos ocurrió dar una vuelta por el parque, ¿para qué? Nuestro mundo estaba circunscrito a esos escalones de piedra y dos parterres llenos de colillas, no necesitábamos más.

El *turó* es un parque, el cuerpo de Victoria ya no está, ya nunca lo volveré a ver, ahora estoy segura. Toco el cristal de mi ventana fría y me hago cargo de que Victoria ha desaparecido de mi vida pero aquí está siempre, si me giro casi puedo verla, como esas escaleras de mi pasado que ya no existen. Victoria, mi fantasma, mi rusalka.

XI. DEBORAH, ANNE Y LAS MUJERES

Cuando lo pienso ahora, me resulta sorprendente lo rápido que se me pasó la extrañeza de vivir en esta nueva tierra. Me acostumbré enseguida al olor a pescado del puerto, al horizonte inacabable del mar, a nuestras nuevas casas mucho más pequeñas y de techos más bajos pero tremendamente prácticas. Yo, desde mi parcela algo elevada en las afueras de lo que empezaba a ser una ciudad, contemplaba la bahía todas las mañanas y podía abarcar con los ojos todo lo que era nuestro, por fin nuestro. Y mi cabeza comenzaba a trazar líneas.

Mis finanzas eran cada vez más estables gracias al intercambio de bienes, la acumulación de tierras y los préstamos a las pequeñas empresas que se estaban estableciendo. Era una mujer, sí, pero muchos hombres me necesitaban: una pequeña suma al tenedor de caballos para ampliar su negocio, otra para el nuevo techo del almacén de grano, y poco a poco me había convertido en una persona necesaria. Mi viudez parecía protegerme de la mirada inquisitiva de la autoridad, es decir, de la Iglesia. Anne me llamó la atención para que no me contentara con esa vida: «Elige el empleo o vocación en que puedas ser más útil a Dios. No elijas aquello en lo que puedas ser más rica u honorable, sino aquello en lo que puedas hacer el mayor bien y escapar mejor del pecado.»

¿El pecado? ¿Yo, una mujer de más de cincuenta años, pecadora? A veces Anne me sorprendía en lo más íntimo, pero no hablaba de mi cuerpo como tentación, sino de mi cada vez más evidente comodidad ante mi nueva posición. Y entonces me mortificaba pensando, pensando de verdad mientras iba de un lado a otro de mi casa, y me prometía que mis ojos no se deslumbrarían por el oro, que mi corazón no se dejaría embrujar por la gloria y la dulzura de los tesoros terrenales. Pensaba en ti, Padre mío, y ansiaba tu palabra para no caer en la tentación de la prosperidad y lograr un alma enriquecida por tu gracia.

Anne me leía la angustia en el rostro todas y cada una de las veces. Y fue ella quien me rescató: acompáñame al bosque hoy al atardecer, me susurró un día que me vio cansada y sin ganas de nada.

Y la seguí, por supuesto que la seguí, y Anne llevaba un fardo a cuestas y unas botas para caminar por el barro y todo olía a abedules y hayas, a frío y hojas mojadas. Caminamos un buen rato entre la maleza, evitando arbustos y llegando a bifurcaciones que Anne parecía conocer bien, porque decidía qué camino tomar sin titubear.

Cuando anochecía y mis piernas empezaban a latir por el esfuerzo, llegamos a un claro en el bosque, en el que había un pequeño fuego y una choza hecha de ramajes y cuero. Lo que vi desde la pequeña abertura de la entrada me dejó petrificada como estatua de sal. Allí estaba Regina Robinson, que había desaparecido meses atrás, al cumplir los catorce años, sin dejar rastro.

Regina resoplaba, cubierta de sudor, con una barriga prominente y sangre entre las piernas.

111

–No, no, no.

–Deborah, no te quedes ahí parada.

–No, no, no.

–Tienes que ayudarme, va a nacer un niño y vas a tener que ayudarme a traerlo al mundo.

Yo, que no había tenido miedo al barco, ni a las ratas, ni a la podredumbre, me vi incapaz de seguir ahí. Me aparté de la choza y me coloqué junto al fuego, tapándome las orejas para no oír los gritos de la chica Robinson. Intenté recordarla meses atrás con el pelo color fuego, largo hasta los hombros, correteando detrás de su madre rumbo a la iglesia. Pero su voz era más fuerte que nada, era como el aullido de una bestia, algo gutural que no había oído jamás y que tuve que escuchar como penitencia por haber intentado olvidar mi propia vida durante tanto tiempo. Aún quedaban las brasas de la fogata cuando salió Anne con la frente perlada de sudor, los antebrazos cubiertos de sangre viscosa y un envoltorio pequeño y caliente como una hogaza de pan.

–Todo ha ido bien.

–¿Y Regina?

–Está bien también.

Las dos nos quedamos mirando al niño que acababa de nacer, un animalillo nuevo y aún sin conciencia, apenas un fardo de carne.

–¿Cómo ha aguantado tanto tiempo en el bosque?

–Yo venía a echarle un ojo cada semana. Los indios la han respetado porque es pelirroja, no se meten con ellos porque creen que son criaturas sobrenaturales.

–Tú ya lo sabías y por eso la dejaste aquí, ¿no?

Anne miró los restos de las brasas, o quizás más allá, como siempre, quién sabe.

–Sí.

Tiró algunas sábanas encima para acabar de apagarlas y dijo, con el rostro ceñudo y una sombra de preocupación que le cruzaba el semblante:

–¿Te he contado alguna vez qué fue de mi padre?

Me sorprendió la pregunta, a esas horas, en ese momento.

–No.

–Fue él quien me educó desde que apenas podía sostenerme en pie. Estaba asqueado por la falta de educación de los curas de nuestro pueblo, unos ignorantes que asustaban a la congregación con historias del diablo y no cumplían la palabra de Dios ni sus enseñanzas. Eran unos brutos que buscaban techo y comida a cambio de dar misa de memoria, unos auténticos analfabetos. Uno acusó a mi madre una vez de haber parido a una cabra. Solo querían llenarnos de miedo. Pues bien, mi padre me educó porque estaba en casa. ¿Y por qué estaba en casa, un hombre de su posición, y no trabajando? Porque le habían condenado por herejía tras quejarse a las autoridades de las mentiras que difundían esas bestias. ¡Después de todo lo que habíamos hecho, después de la reforma! No habíamos abandonado la Iglesia de Roma para tener que aguantar a esos mangantes como autoridad, ¿no crees?

No podía verle la cara a Anne, solo oía su voz avanzando como un torrente en la oscuridad.

–Fue sometido a juicio en la catedral de Londres, le condenaron a diez años en prisión, donde enfermó y tuvieron que amputarle una pierna. Así que pasó el resto de su vida en arresto domiciliario. Fue entonces cuando nací yo. Me enseñó a leer y los trucos de las plantas y los animales. Soy partera y seguidora del fiel camino de Dios gracias a él.

Oímos el aullido de un lobo.

–Tenemos que irnos antes de que amanezca.

Asentí.

–Pero, Deborah, tienes que entender que te he elegido porque sé que tienes la capacidad y el tesón para acompañarme en esta empresa. No puedes volver a dudar, no puedes fallarme. Dios no está ahí fuera esperando a que te decidas a trabajar para las mujeres que nos necesitan. Dios está dentro de ti, ayudándote todos los días, te acompaña pero no decide por ti. Ya lo hemos hablado varias veces. Se lo debes a él y ahora nos lo debes a todas nosotras. Elige: o te unes a la causa, o no volveré a arriesgarme trayéndote aquí.

Anne creyó que esas palabras eran suficientes para convencerme, pero yo era vieja y comerciante. Lo que me presentaba como un regalo era también una trampa posiblemente mortal: hasta entonces yo había operado sola, con muchos menos riesgos y muchos más beneficios. Quería ayudar a las nuestras a ser dueñas de su destino, pero hasta entonces había sido mediante charlas inocentes en entornos seguros. Siempre en solitario, sopesando bien mis transgresiones y pudiendo salvarme siempre a tiempo de la mirada inquisitiva de la autoridad. Ahora ella me había llevado hasta allí, y me había hecho cómplice de inmediato.

Pero, Señor, Padre mío, cómo no imaginar sus ojos enfebrecidos en la oscuridad y entender que había que entregar algo para recibir algo. Cómo echarse atrás cuando ya estaba en el precipicio y toda esa fuerza, todo ese torbellino que era ella, me pedía que saltara. Una compañera, una colaboradora, una par, sí, una par.

–Estoy contigo. Estoy con Dios.

Sé que Anne sonrió, por fin, levemente, por fin, aunque no pudiera verla en medio de la noche oscura. No la vi pero lo sé.

–Bien. Pues vámonos a casa.

12. PLAZA JAUME SABARTÉS (ANTES)

Por supuesto estás a punto de dejarme. Yo no lo sé, porque me he convertido en una idiota y a estas alturas solo veo lo que tengo delante de mis ojos, como un burro con anteojeras. Pero si pudiera ver más allá, descubriría que todas las pistas están delante de mis narices.

Hemos dejado de follar. Aunque eso no es lo más importante –al menos no para ti, nunca lo fue, algo que todavía me sorprende.

Las cosas se han ido agriando. Los planes tienen cada vez tienen menos fuelle. Las ideas para las vacaciones de Navidad fueron descartándose a gran velocidad, ahora es febrero, y si fuera capaz de pensar, podría intuir que no llegaremos al verano. Nuestras cosas, tantas cosas que tenemos, amarillean. Las fotos que colgamos, los libros en las estanterías, el sofá. Todo se destiñe y le echamos la culpa a la terraza. Quién nos iba a decir que la luz del sol nos iba a quemar lentamente las cosas, ¿eh?, decimos. Lo que parecía una buena razón para estar aquí, lo que nos pareció una buena idea, ha acabado pudriéndonos las posesiones, que es lo único que tenemos en común a estas alturas. Si pudiera fijarme de verdad, me daría cuenta de que cada vez estás

115

más ocupado, que pasas más tiempo al teléfono y frente al ordenador, en tu despacho, que es ahora la mesa del salón, donde se realizan reuniones y actividades, donde entras y sales sin apenas mirarme. Pero no me fijo. Solo contemplo el discurrir del tiempo, como si todo esto no me pasara a mí. Cada vez paso más tiempo en el sofá, como un objeto más, y entro y salgo de mí misma para aborrecerme. Mírala, me digo. Mueve el culo, haz algo. Lo mismo sucede con nosotros. Nuestra relación se ha convertido en esa fotografía disociada de mí misma que no logro analizar, algo que le pasa a otra persona.

Aun así, hay rutinas que se mantienen, por supuesto. En esta temporada en la que todo a nuestro alrededor es hueso sin carne, decido ir con pies de plomo. Desde el último día que discutimos, soy sistemática en mis acciones para no hacerte enfadar, aunque al parecer no lo logro. Por las mañanas exprimo las naranjas exactamente como te gusta y te llevo el zumo a la cama. Pienso siempre en usar zapatillas dentro de casa para no molestarte con mis pasos mientras duermes. No te acuso de pasar demasiado tiempo fuera de casa. Lo hice, hace poco. Ya me he convertido en ese tipo de persona. «Adónde vas esta vez», dije, un sábado por la tarde, otra vez tirada en el sofá como un bulto inerte. Pese a mi estupor general, pude ver tu gesto de desprecio inmediatamente, ¡era tan evidente!, así que me prometí a mí misma no hacerlo más. Ahora no.

Si pudiera ver más allá de mis narices, me daría cuenta de que tú nunca me preguntas adónde voy, has dejado de ser celoso, y eso que lo eras, muchísimo. Cada nombre de hombre que mencionaba era un interrogatorio: «¿Te lo follaste a ese? ¿Seguro que no? A mí me lo puedes decir, no me voy a enfadar.» Y después una bronca por una tontería, un zapato fuera de sitio, una taza de té sobre la mesilla de noche. Pero para qué recordar eso, si hace ya tiempo que no sucede, como nunca voy a ninguna parte, más que de casa al trabajo y del trabajo a casa, supongo que ahora ya no tienes de qué preocuparte. Contesto a las llamadas de mi familia con monosílabos, y mis amigas hace tiempo que dejaron de llamar, para qué, si jamás devuelvo las llamadas. ¿El trabajo? Ya no tiene ninguna importancia. Hace tiempo que no rindo como debería. La jefa me ha llamado la atención varias veces. Cuando no estoy frente al ordenador, fingiendo contemplar un documento, siempre el mismo, hablo contigo por teléfono en el pasillo acristalado que separa el despacho común de los ventanales que dan al centro comercial, en una discusión que se alarga durante horas por alguna nimiedad. Mis compañeros no dicen nada mientras camino pasillo arriba y abajo, son diligentes, se concentran en sus pantallas, no se meten en los asuntos de los demás. A veces, a la tercera o cuarta llamada del día, lloro en el baño, pero cada vez menos.

Las peleas. No salimos de ellas. Pero pelearnos quiere decir que sigues aquí, logro articular a veces. Aun así, he decidido cambiar. No voy a volver a buscar greña discutiéndote que el vino tinto no tiene que estar en la nevera nunca, porque eso me granjeó una de las mayores broncas entre nosotros de todos los tiempos. Una histórica, monumental. El vino. ¡El vino! Cada vez hay menos espacios seguros en nuestra casa. Las minas acechan, y cualquier gesto cotidiano puede convertirse en una pelea de tres días. Y cuando no discutimos, tú trabajas mucho, muchísimo. Haces llamadas largas desde el pasillo en voz baja mientras yo como cereales directamente del paquete, encerrada en la cocina. Mi bulimia, latente al principio de nuestra relación, es ya un monstruo desbocado. Como cosas sin sentido. Cebolla frita, paté de pescado, un queso camembert entero. Pido sushi a do-

117

micilio para tres los pocos días que no trabajas desde casa, ahora que estáis montando el partido y te necesitan más que nunca. Para no delatarme, tiro los restos en los cubos de la basura del barrio. Un día, de buena mañana, abres la puerta de la cocina y me ves engullendo un tarro entero de guindas en almíbar y tu cara de asco es tal que solamente atino a darme la vuelta y escupir la última, que sale disparada en un arco perfecto y rebota contra el fregadero. Nadia Comaneci, diez puntos.

Poco a poco intuyo que lo mejor que puedo hacer es convertirme en algo parecido a un animal de compañía peludo, sumiso y cortés. Cuando me pillas en falta me deslomo en la casa. Hago la colada, tiendo la ropa, limpio todas las superficies y friego nuestras cosas con lejía barata todos los días, cada día. Limpio el suelo como limpio mi culpa: tarde, torpe y furiosamente. Plancho camisas, sacudo mantas, quito pelusas de polvo y pelo de debajo de los muebles. Un día vienen tus amigos, habláis de la potencia feminista del nuevo partido y yo os sirvo el aperitivo.

Ese es el día que todo estalla, y al que te referirás más adelante. En ese momento no soy consciente, pero ese día te proporciona un asidero para lo que está por venir. Tras disponer la comida y escucharos durante un buen rato, decido ponerme ciega de vermut. Ciega de verdad. Cuando estáis discutiendo y organizando las listas electorales por municipios paso al vino tinto y mi memoria se astilla. Y para los postres estoy como una cuba y solo distingo los colores. Por lo que hemos podido recomponer, es en ese instante cuando me pides que haga café y, al parecer, según los testigos, te contesto que te levantes tú a hacerlo. Tu sonrisa, dirán después, se congela y vas a la cocina. Yo me río y les cuento a tus amigos que quieres que tengamos hijos pero que no se te levanta.

Cuando me despierto, horas después, estoy tumbada sobre la cama con la lengua pegada al paladar y un dolor agudo en la nuca y las sienes, que se conectan como un circuito. Tus amigos se han ido ya y es de noche. No logro distinguir la expresión de tu rostro cuando me pides que vayamos al salón. Sí noto tu autocontrol. Tu voz es tranquila, pausada. Mides cada palabra. Nunca he sentido tanto terror como en ese momento. Pienso que me vas a pegar, pero no es eso lo que me da miedo. Noto, por primera vez, como si se tratara del silbato de un perro, un tono nuevo, que me pone en alerta. Se trata de un tono ya no cruel ni despectivo sino enteramente civilizado, lejano. Me doy cuenta de que me estás hablando como se le habla al público de un acto en una biblioteca municipal, como si le hablaras a una sarta de septuagenarias que están esperando la firma de un libro sobre la historia de su barrio y el chocolate caliente que sirven después. Ya no me estás hablando a mí. Comprendo entonces que no hace falta que me pegues, que yo ya estoy muerta. Por fin capto el porqué del tono pedagógico: le estás hablando a quien sea que le vas a contar todo esto. Lo más importante es quedar bien con toda esa galería de personas futuras a las que relatarás nuestra historia. Mientras la adrenalina me chorrea por las extremidades y me hago cargo de que no, que no me vas a pegar, logro entender algo sobre que lo nuestro no funciona y bla bla bla y que mejor nos separamos y que ya lo tienes todo pensado, aunque el alquiler esté a mi nombre, podemos cambiar la titularidad en el contrato porque, evidentemente, el piso te lo quedas tú.

XII. DEBORAH Y EL DESPUÉS

Solo puedo abarcar la magnitud de lo que pasó si tengo en cuenta lo que hicimos después. Aquí, bajo tierra, me siento como cuando terminó todo, cuando fuimos expulsadas de Salem. Me habías condenado a ser una mujer errante, a mí, una señora de su casa, una muchacha hecha para ser casada y troceada en un parto tras otro, como aquellas a las que Anne salvó en nuestros mejores años.

Pero ¿y después? Nadie te explica cómo es la soledad de la supervivencia de una vieja. Nadie quiere oír nada sobre eso. Me han llegado ecos, sí, voces, en toda esta eternidad que llevo bajo tierra, de que mi nombre fue respetado, incluso temido. Ay, Dios mío, qué pruebas me pusiste. La curandera habló de un ángel, pero nunca de todo lo que pasó después, de cómo nos traicionaron, malditas ratas. De cómo intentaron quitármelo todo otra vez. ¿Te parece que hablo demasiado de dinero? Permíteme que te contradiga. A las mujeres se nos ha hecho sordas a la importancia del dinero durante siglos con la única intención de que dependamos de él. No se nombra, se entiende como el reverso del amor. No pienses en el dinero, piensa en el amor, dicen. Ah, el amor. De mentiras así está nuestra existencia llena.

Así es, no me importa decirlo desde esta condena. Aunque esté muerta prefiero recordar cómo yo logré salvarnos. Porque sí, fue gracias a mí. Cuando el horror que vivimos en Salem terminó, solo me quedó la soledad de la vejez. Los pactos. La arenilla de conocer la maldad de los hombres y poder traficar con ella. Había aprendido tanto que solo me quedaba empezar de nuevo, en otro lugar, una vez más. Recuerdo nuestra huida a medianoche en un carro prestado y el miedo a ser descubiertas. Pese a todo. Recuerdo viajar de noche y de día, flanqueadas por dos guardias que nos escoltaron fuera de la colonia para esquivar los asentamientos indios. Habían empezado las guerras por la fe, que no eran otra cosa que la guerra por las tierras, como siempre. Nuestros gobernadores usaban a las tribus a su antojo, hacían tratos con ellas que después incumplían. Hectáreas enteras quemadas con ellos dentro, cuerpos apilados y después abrasados, todo para ganar tiempo, espacio, huecos. Evangelizar es una palabra muy amplia que encubre muchos pecados. Las palabras, había entendido yo hacía tiempo a base de experiencia, ocultan sangre y horrores.

Para entonces yo estaba cansada de muerte y de amenazas. Ya había decidido, en medio de esa noche oscura, que no volvería a pasar por lo mismo. En aquella cabaña que olía a pieles, la curandera de mi juventud, tan lejana, había hablado de un ángel y de dos tránsitos, pero lo de ahora era una tortura lenta y avasalladora. No sobreviviría a otro viaje, tenía que asentarme ya y para siempre.

Años después llegaron las voces, claro. Pasé de ser una mujer peligrosa a prácticamente una santa. Le pusieron mi nombre a una plaza. Dijeron de mí que fui la primera mujer del nuevo mundo en fundar una colonia, y es cierto. Nada de eso es mentira. Establecí mi casa y no dejé que nadie me la arrebatara, al fin. Tracé las calles de mi pequeña parcela y marqué dónde estaría mi hogar, por fin líneas rectas, por fin un espacio cuadrado, los confines de mi mundo. Mejor saber cuáles son y atenerse a ellos. ¿Es eso un logro? No lo creo, Padre. Fue solo un ejercicio práctico. Un pacto, finalmente. Esos iban a ser los límites de mis dominios, y tú bien sabes que me los había ganado y había pagado con creces por ellos. Había muerto gente para obtener mi libertad, pero por fin, a base de pactos, tenía mi casa, libre de peligros.

Anne también es una santa ahora y me hace bastante gracia. La gente es estúpida. Solo el manto del tiempo nos cubre a todas las mujeres que hemos sufrido de una gloria inane y ridícula, una gloria beata. ¿De qué nos sirve, una vez muertas? ¿Acaso no disfrutan ellos de la gloria y los reconocimientos en vida? ¿Qué es una mujer a quien se rinden ciertos honores sino un conejillo estúpido al que se le acaricia el pelaje suave después de haberle partido el cuello?

No fuimos santas, ni Anne ni yo. Oigo las voces de allí afuera, aunque esté bajo tierra, porque lo veo y lo oigo todo, soy tu encarnación y tu desdicha, Padre mío, y esas voces dicen que fuimos ejemplos. ¡Ejemplos! Se me escapa la risa y se me llena la boca de sal y arena.

Anne estaría orgullosa, por supuesto. Al fin su tarea aupada a las alturas, aunque sea por gentes impías e inmorales tan poco amantes de Dios, tan poco seguidoras de tu palabra. Si Anne supiera que encima de esta tierra hay quien no cree en ti, no sé qué haría. Probablemente alzarse de su tumba, como empujada por un resorte, subirse a un taburete y ponerse a predicar tus enseñanzas. Todos sabemos que nada la detuvo en su momento, ni siquiera la muerte.

Cuando llegamos a esta tierra, sí, porque era esta y no otra, tras dos noches sin estrellas, yo estaba derrotada. Había sobrevivido, pero no podía olvidar lo vivido. Cómo pude pensar que nos permitirían hacer todo lo que hicimos en Salem. Fui estúpida. Yo, que sabía de cálculos, olvidé los riesgos. Después de Salem, solo el descanso. Después de Salem, tenía que olvidarlo todo y centrarme solo en la esperanza de una vejez tranquila.

13. CALLE SANTA TERESA (ANTES)

Hago tiempo en un bar pequeño y oscuro de la calle Bonavista que huele a esa combinación de plancha caliente y café de las mañanas a primera hora. A través del ruido de las cucharillas y de los golpes que da el camarero al filtro del café, pam pam pam, puedo distinguir la voz de una locutora que llega desde el televisor. «El complejo Eurovegas finalmente no se instalará en El Prat, como estaba previsto.» La bruma que comienza a nublar mi cerebro es la bruma que cubre el Llobregat en las mañanas de invierno, me acuerdo, a veces, de cuando estábamos enamorados y paseábamos por allí y distinguía peces y aves, los juncos flexibles y verdes, la tierra húmeda y marrón, un riachuelo que avanzaba junto a fincas semiocultas por la vegetación, hasta el mar. «Hace unos días se conoció el emplazamiento definitivo de la futura ciudad de ocio, que por fin recayó en Alcorcón, localidad próxima a Madrid.»

Y de repente el mar, sí, el mar y toda aquella arena, y estábamos solos, y hacía viento, y parecía que el mundo era nuevo y limpio, solo para nosotros, me acuerdo, sí, me acuerdo.

«Los letrados del Parlament piden tres años de cárcel

para veinte participantes en el asedio a la Cámara catalana durante el 15 de junio del 2011», sigue diciendo la locutora, y vuelvo en mí, a este momento, y aunque no te veo, sé que estarás haciendo llamadas y organizando asambleas y redactando declaraciones, e imagino la indignación, y el frenesí, sé lo que es el frenesí porque ya no lo siento, sé que en algún momento lo tuve, que existió esa energía que consume tiempo y espacio, sé que el frenesí son ganas de vivir, y no este hueco entre mis ojos, «... al considerar que cometieron un delito contra las instituciones del Estado por impedir la entrada de los parlamentarios.»

Pago mi café y salgo a la calle, en esta mañana laborable y llego hasta la calle Santa Teresa, a un paso de la Diagonal. Me gusta la calle Santa Teresa porque parece un error: está justo al lado de una gran avenida pero es una calle estrecha y burguesa, con tiendas sofisticadas y desiertas llamadas *concept store* que venden objetos, supongo, y restaurantes lujosos que solo abren dos días a la semana. Busco instintivamente una persiana bajada de color verde, pero no la encuentro, quizás me haya confundido y todo pasaba en la calle Sant Agustí, una paralela, no sé, lo cierto es que todo pasaba muy tarde, el bar se llamaba Ricks y nunca llegaba antes de las cuatro de la mañana, cuando cerraban los otros bares y seguíamos la peregrinación por los locales abiertos en horario ilegal: Ricks, Lady Godiva, Agujero Negro. Tras el agujero negro no había nada, claro está, solo quedaba la derrota, pero el Ricks era un buen y digno lugar para emborracharse. En mi recuerdo es un bar de dos plantas, con mesas de madera pegajosas y una barra larga donde una mujer en la sesentena que antes se llamaba Jaime y después fue Alejandra nos servía con una sonrisa. Las imágenes del bar son borrosas pero una se salva: soy veinteañera y bebo una cerveza con un amigo, él lleva una camiseta interior blanca y me dice que no me preocupe, que todo saldrá bien. Creo que es porque odio mi trabajo, o quizás le estoy hablando de El Inglés, de su pelo rubio, de su cuerpo, no estoy segura, pero por alguna razón esa frase me calma de verdad. Nos bebemos tres cervezas más y hablamos de tonterías y todo se alarga porque nadie quiere dormir, sopesamos las opciones hasta que Alejandra nos echa porque hace rato que es de día y no sabemos muy bien en qué día estamos, así que sin más alternativa emprendo el regreso a casa, a Hospital Clínic. Estoy tan cansada y embotada que solo puedo deslizarme pendiente abajo con la esperanza de encontrar algo de agua por el camino, como una peregrina, con el espinazo doblado, rogando limosna, calle abajo, merezco vivir, dame algo, dame algo. En medio de una penumbra mezcla de alcohol y *speed*, con todos los sentidos vivos pero alterados, veo cómo me engulle una marea humana, una enorme masa de gente henchida de felicidad, moviendo las caderas, veo volantes blancos y verdes, alguien tira confeti y se me pega el papel picado a la lengua, ya bastante rasposa, voy a morir, voy a morir, voy a morir, y de repente, como una aparición, a veinte metros se tambalea un camión enorme, del tamaño de un obús, y sobre él va el alcalde Joan Clos vestido con una camiseta amarilla que le aprieta la barriga y con las mangas cubiertas de algo que parecen llamas de fuego naranja dibujadas, y Clos se cimbrea hacia los lados, con torpeza, y yo intuyo de inmediato que esa torpeza es fingida, sé que es todo mentira, no sé cómo pero lo sé, la camiseta amarilla, el sudor, la grasa de su barriga, todo es una enorme maniobra de distracción, es la falsa modestia de un faraón, eso pienso, el alcalde Joan Clos construirá nuestras pirámides, lo veo en sus ojos, mientras agita las maracas, mientras protagoniza este gigante espectáculo trilero, dónde está la bolita, dónde está la bolita, y arranco a aplaudir, bravo, sambalona, samba en Barcelona, sambalona, bravo, ¡bravo!

Diez años después estoy en esa misma calle, ya no saliendo del Ricks sino tocando el timbre de una finca señorial que no tiene portero pero sí un montón de jarrones llenos de rosas en el vestíbulo que me hacen preguntarme quién les cambiará el agua. El ascensor me deja en la segunda planta y abre la puerta una señora de aspecto adusto de unos cincuenta años.

Me siento donde ella me indica, junto a una biblioteca. Saca una libreta gris y un bolígrafo.

—Has llamado porque no te sientes bien.

—No.

—¿Qué te pasa?

—No logro levantarme de la cama.

—¿Desde cuándo?

—Desde hace varios días. Tampoco puedo comer. Y no duermo. No sé cuánto hace que no duermo, creo que unos siete días, y cuando lo hago me despierto inmediatamente.

—¿Por qué?

—Mi novio me ha dejado. Se ha ido con otra persona. Y ahora no puedo dormir porque pienso que están aquí.

—¿Aquí dónde? ¿En esta casa?

—No, están aquí, en esta ciudad. En todas partes.

—Pero tú sabes que no es cierto. No están en todas partes.

No sé qué contestar a eso.

—Esa sensación que tienes, ¿te impide dormir?

—Sí. No me los quiero encontrar.

—Te repito: ellos no están en todas partes. Además, Barcelona es grande.

Me callo. Barcelona es tan grande como mi coño, quiero decir y no digo.

127

–Tienes que intentar sobreponerte, no se acaba el mundo. No, no se acaba. Tiene razón. Me pregunto por primera vez si te quería. ¿Y si no te quisiera? ¿No resolvería eso todo? No te quería, me empeño en pensar. Y si te quisiera, a efectos prácticos, tampoco importaría demasiado ya.

No le cuento a la señora lo de las motas de luz, cada vez más frecuentes, cuando fijo la vista en cualquier cosa. No le cuento que cuando cierro los ojos siento el latido de mis sienes y que he dejado de ducharme, que mi boca tiene la textura de la arena de los Monegros en un mediodía de agosto. No le cuento que veo agua marrón por todas partes, ahogándonos a todos.

–Me dijo que estaría siempre conmigo. Que tendríamos hijos.

–La gente hace planes cuando está en pareja. No hay nada anormal en ello –sonríe. Me aguanta la mirada. Anota algo en la libreta gris.

–¿Cuánto tiempo llevabais juntos?

–No me acuerdo. Dos años. ¿Tres? Necesito algo para la angustia. Necesito dormir.

Dar forma a esa idea me ha dejado agotada. Siento que soy un atadijo de carne que alguien ha depositado sobre la silla Thonet forrada en raso beige en la que me mantengo, milagrosamente, sentada en posición vertical.

–Vas a tomar tres de estas al día. Si puedes suprimir la de mediodía, mejor, porque puede que te atonte un poco. Y quiero que vengas a verme la semana que viene. Son cien euros.

Le doy los cien euros, me devuelve una receta sellada. Salgo a la calle y el aire de la primavera otra vez me acaricia la cara. Paso por delante del Ricks y me caen las lágrimas hasta el suelo, creo que es porque finalmente lo he localizado, ya no existe, en su lugar solo hay un supermercado que abre veinticuatro horas al día. Quizás debería reír, miro el papel que me ha dado la señora de la libreta y pienso que antes los camellos te atendían sobre todo de noche y casi nunca, no, casi nunca en una de estas calles del centro de la ciudad.

XIII. DEBORAH Y LA HABITACIÓN DORADA

Pero basta de circunloquios. A veces la mente funciona así: retrasas hablar de la etapa de dicha para no gastarla, por más que sea ese recuerdo el único consuelo. Me he resistido a pensar en aquel tiempo porque después fui condenada a la soledad, pero es el momento, sí, ahora es el momento. Nos reuníamos en mi casa o en la de Anne los martes y los viernes, en horas en que los hombres estuvieran trabajando y, por tanto, no hubiera estorbos ni necesidad de dar explicaciones. Anne era ya conocida por su capacidad para predicar tu palabra, su capacidad de convicción, pero poco a poco fuimos dándonos cuenta, al verla en acción, de cuán grande era su magnetismo.

Llegaban mujeres con cuentagotas, muchas veces animadas por mí cuando me las cruzaba en el mercado. Iban a buscar miel, hierbabuena o algún ungüento, y por sus semblantes preocupados y cansados te dabas cuenta de que necesitaban apoyo. Muchas veces parecían mulas agotadas de tanto tirar de la vida, la mayoría casadas pero también alguna soltera que había dejado de dormir preguntándose cuándo llegaría el amor, quién haría de ella una mujer decente. Ahí entraba yo, en mi papel de vieja sabia que escucha y calma conciencias. Las llevaba a un lado, a la vista de todos, nada que pudiera resultar sospechoso, y simplemente me dedicaba a escuchar. Parecían animales al borde de la extenuación, necesitados de un tiro de gracia. Algunas habían escuchado historias que les quitaban el sueño. Por ejemplo, la de la noble y acaudalada Mary, de la bahía de Boston, que se había casado enamorada de un hombre de buena familia que se lo había quitado todo nada más partir, en el viaje de novios a Inglaterra. Al llegar a Londres, la pobre estaba sin dote, sin joyas y sin ropa y se encontraba en la peor de las situaciones, embarazada desde la noche de nupcias y ahora sin rumbo, forzada a dedicarse al peor de los oficios, que nadie quería nombrar. Quién de nosotras podía resistirse a imaginarla vagando por el puerto hediondo, una mujer perdida, un saco de carne y huesos. ¿Podría pasarme algo así a mí?, me preguntaba una joven temerosa, una de esas que prácticamente se había abalanzado sobre mí en plena calle, incapaz de contenerse. Otra no podía más con la carga de sus ocho hijos, su vientre destrozado por dentro, envejecida, con la piel de la textura del cuero, pese a haber cumplido apenas los treinta. «¿Acaso Dios me pone estas pruebas para señalar que ya estoy condenada, que esta carga es mi castigo?» Esa duda las obsesionaba a todas, y no era para menos: éramos el pueblo predestinado a reinar en tu nombre, nuestro destino estaba escrito, así que todas nuestras acciones, todo aquello que nos sucedía, eran señales de tu gracia o tu mortificación.

Eso nos quemaba por dentro. Ese peso, arrastrado desde el útero colina arriba y colina abajo, era un lastre insoportable para todas esas mujeres que la colonia entendía como apenas unos animales, hembras de animal con algo de raciocinio. Y eso las llevaba al límite, a perder la razón. Estaban desquiciadas, con los nervios destrozados, eran pasto para el diablo, para que él encontrara la hendidura y se colara en su interior. Ellas eran como las rocas del desierto. Pero el diablo es como el agua, la gota que se va colando en la rendija, día tras día, hasta que, convertida en hielo cuando de noche bajan las temperaturas, parte la piedra en dos. Y al final, solo arena, toneladas de arena.

Y, además, estaban las desapariciones, claro. Todas esas jóvenes sin rastro.

No había más que ir por la calle y detenerse a observar cuáles serían nuestras futuras hermanas. Ojerosas, pálidas y temblorosas como cervatillos. Era entonces cuando yo podía dar la estocada. Por qué no vienes a las lecturas que organizamos de la Biblia, son un par de veces por semana, seguro que te hacen sentirte mejor. Rebecca, Mary, Elizabeth. Sarah, Hannah, Miriam. Esther, Ruth, Belkis. Sus maridos las animaban, muchas veces por cariño verdadero, otras por temor a Dios. Si les fallaba la mula, ¿quién les iba a hacer el duro trabajo en casa? Las mujeres escaseábamos en la bahía, ellos eran muchos más.

Y entonces, cuando finalmente se decidían y llegaban a casa, tímidas y encogidas, con paso dubitativo, encontraban a Anne en la puerta, que las recibía con un abrazo y su voz suave y profunda y les decía que todo iba a estar bien. Las sentaba, pequeñas palomitas blancas, y ellas la contemplaban esperando una joya en forma de señal que diera sentido a tanto malestar, a tanto sufrimiento. Por qué no puedo más, Anne, dime por qué no puedo más. Voy a ir al infierno por hacerme estas preguntas, quién me va a querer, por qué mi marido no calma mis nervios y no duermo, debe de ser el demonio, Anne, a que sí.

Y Anne replicaba, con toda tranquilidad, que las instrucciones de Dios eran claras si una quería oírlas. Que tan solo tenían que escuchar su fuero interno, olvidar las directrices de maridos y reverendos y sentir el amor a Dios, que estaba allí dentro. Lo sientes, hermana, lo sientes. Anne hablaba de un lugar entre el pecho y el esternón, donde se situaba todo el amor y todo el anhelo, ese lugar desde el que se podía proyectar la calma espiritual que necesitaban. Que la conexión con Dios era directa, que ellas podían hablar contigo, Señor, y en su fuero interno saber qué decisiones tomar. Las hacía cerrar los ojos, y con sus palabras suaves repetía un salmo tras otro, y mientras la luz color trigo se colaba por la ventana, mi casa parecía una gran burbuja dorada, colmada por tu palabra, con el rumor del llanto de todas esas mujeres necesitadas de ayuda. Una vez recitados los salmos, muchas veces los mismos que oíamos en la iglesia a cargo del reverendo Peter, Anne añadía algo de su propia cosecha y hablaba de voluntad y sentido, de la intuición del espíritu, y decía suavemente que nosotras, todas nosotras, obrábamos en realidad desde el bien. Las tomaba de las manos y susurraba: Dios no te va a castigar, Sarah, por ser temerosa del futuro. No debes tener miedo a la salvación o la condena, Miriam, si ayer perdiste una cinta del pelo en el camino de vuelta a casa. Esa no es la señal que estabas esperando. Y Miriam lloraba y lloraba, y me parecía que sus lágrimas podían oírse incluso resbalar y caer al suelo, tal era el llanto angustiado de nuestras hermanas buscando consuelo. A veces me imaginaba que todas esas lágrimas se concentraban en un torrente que escapaba por debajo de la puerta y llegaba hasta la casa del reverendo Peter, calle abajo. Con nuestra agua salada íbamos a llenar ese nuevo Canaán y lo convertiríamos en la tierra verdadera que nos habían prometido, íbamos a heredarla nosotras, con el sudor de nuestra frente, con el diamantino sudor que habíamos exudado, hijas del Señor, hijas tuyas, tus verdaderas reveladoras de la palabra.

Y a la semana siguiente en vez de ser cuatro eran ocho, y a la siguiente quince, y a la siguiente veinticinco. Tuvimos que buscar una sala más grande para poder abarcar tanto deseo. Sí, Padre, no quieras corregirme: he dicho abarcar y no contener y lo he dicho a conciencia. Pronto me di cuenta de que nuestro deseo era incontenible.

14. CALLE DEL JUDICI (ANTES)

Sé que hay una navaja abierta sobre la mesa de cristal. Lo sé antes de levantarme de la cama. No puedo verla, no puedo abrir los ojos, pero sé que está ahí. Está ahí junto a los restos del naufragio: unas hebras de tabaco, un trozo de cartón, un par de vasos con colillas, la carátula de un cedé. Si mantengo los ojos cerrados durante el tiempo suficiente podré ver todas esas cosas. Es algo que sucederá tarde o temprano. Tengo que levantarme, después de haber estado fingiendo que duermo. Pero eso no era dormir, eso era otra cosa. Estar inconsciente no es dormir. He estado en ese estado, apagada, durante ¿cuánto tiempo? ¿Una hora? ¿Dos, máximo? Y desde entonces me hago la dormida para no despertar a la persona que tengo a mi lado en la cama.

No hace falta que me dé la vuelta para ver qué pinta tiene. Sé exactamente qué pinta tiene: los ojos verdes, las extremidades largas y delgadas, una sonrisa enorme cuando abre la boca y un pendiente en el lóbulo. Antes de que se me apagara el cerebro vi esa cara. Son todas una versión de la cara de El Inglés.

—*What are you doing in Barcelona? I am here on tour. What do you do?*

Hay una navaja abierta. Cambio de postura en la cama y veo unos moratones en mis piernas y en el antebrazo. Me incorporo y me doy contra el techo. Estamos en una buhardilla que, comprendo enseguida, es un apartamento turístico que el chico de los ojos verdes ha pillado para las dos noches que está en la ciudad. Sus uñas brillan como esmaltadas mientras duerme, y yo acaricio una. Siento una ternura infinita por algo, no sé exactamente qué. Aún medio dormida hago todo lo que hago siempre en la cama de un desconocido. Rastreo su móvil –tiene una novia llamada Sasha, en Viena: *You ok, hon? Call me when you wake up :)*–, huelo su ropa, busco señales de cómo es en realidad, reviso su cartera. Me quedo con los doscientos euros que lleva encima.

Desde que mi jefa me llamó al despacho y me ordenó que me tomara unos días voy algo corta de dinero. Pienso en mi jefa, en el rictus de su cara, en sus gafas de concha, el traje chaqueta. Intenté ahorrarnos a ambas la conversación desagradable, sin éxito. Ella dijo que serían solo unos días, pero entendí que se trataba de un gesto benevolente. El último. Así que en cuanto empecé a tomar las pastillas, dejé de ir. ¿Para qué? Ni siquiera tramité la baja laboral, no me sentí capaz. Desde entonces, estoy en un limbo amniótico que no me desagrada. Los doscientos euros me vendrán bien.

Una vez, hace años, cuando todavía tenía una oficina a la que ir todos los días y no te conocía, me desperté en este mismo estado en una habitación del Hotel Majestic del paseo de Gràcia. Con la tripa revuelta por el alcohol y la cara llena de rojeces –el tipo con el que me había acostado había insistido en abofetearme mientras follábamos–, bajé a la cafetería con los zapatos en la mano. Muy dignamente pedí un cortado. Me cobraron doce euros.

Aunque todavía no siento el dolor de cabeza que sé que

vendrá, tengo la certeza de que anoche fue una mala noche porque mi ropa está doblada junto a una silla. Yo no hice eso. Lo hizo él. Eso quiere decir que me folló y yo no lo recuerdo. No es el primero, claro. Las lagunas cada vez son más frecuentes, y más extensas y pronunciadas. Y todas empiezan en un bar.

Desde que me has dejado y vuelvo a ser capaz de salir a la calle, todos los hombres que me buscan en los bares son demasiado guapos para mí, la fantasía bohemia de un catálogo de muebles nórdicos. Explicitan su deseo de inmediato, porque se sienten seguros de sí mismos. Sienten que me están haciendo un favor. Me ceden el paso, abren desmesuradamente sus bellos ojos verdes cuando hago alguna broma y se ríen en el momento exacto en el que quiero hacerles reír.

Todos esos hombres tienen una profesión extraña, curiosa. Son músicos, guardacostas temporales, *brokers* de la City, matemáticos, astrofísicos. Son vegetarianos, judíos, hablan de feminismos en plural y en inglés. *Patriarchy*, dicen. Visten ropa de fibras naturales −lino, lana, algodón−, viven entre Hong Kong y Berlín, entre Nueva York y Jerusalén, entre Reikiavik y Londres, siempre en ciudades de mundos ricos, inaprensibles, donde pueden dedicarse a lo que se dedican. Todos están de paso. Deberías venir, seguro que tendrías muchísimo éxito en lo que haces, dicen, sin saber exactamente qué es lo que hago. Todos tienen novias flexibles que hacen yoga, novias celosas, novias formales poliamorosas, racializadas, flacas, nerviosas, con el pelo largo, buenas amigas de sus amigas, que toman kombucha y se preocupan por su flora intestinal, por sus niveles de yodo en sangre. A veces están ahí, en el bar, y me las presentan. No me molesta. Sé que sus novios −Uli, Andy, Patrick− se van a ir conmigo, y ellas lo saben también. Sé que duele, pienso. Sé que duele. Sororidad, piensan ellas.

137

En este instante él se despierta y sonríe, qué suerte. Se rasca la cabeza y finge sorprenderse por lo que ha pasado. Dice que me invita a desayunar y sé que es para sacarme de su casa, pero la propuesta tiene algo dulce, empático. De repente me importa menos no haber follado con condón. O no acordarme de nada. No sé qué pasó anoche –solo recuerdo mi insistencia en pillar *speed* en un portal de la calle Joaquín Costa, en no follar aún, en seguir bebiendo–. Creo que le conté que me acababa de separar y fingió empatía, es fácil distinguirla, ves que asienten a todo lo que dices, sí, sí, sí, con tal de seguir ahí, y me abrazó, lo cual fue bastante agradable, y yo lloré. Le dije que me pegabas, algo que no es verdad, pero estaba llorando, y eso justificaba mi llanto, porque no esperaba llorar, a mí también me sorprendió. También le dije que se acercaba el apocalipsis, que íbamos a quedar todos anegados en agua, que él tenía suerte de vivir en una ciudad que está muy por encima del nivel del mar. Después de eso no recuerdo nada, pero intuyo que me llevó a la cama y me abrió las piernas y me folló mientras yo estaba inconsciente.

El músico me mira, expectante. «Te invito yo», le digo ahora, para que no busque su cartera. Hago el cálculo: me sobrarán ciento noventa euros para volver en taxi al apartamento que, desde que me dejaste, comparto con una estudiante francesa que está haciendo un máster en Esade. Su padre es el dueño del piso. Pienso vegetar ahí, tranquilamente tirada, el día entero.

Hay una navaja sobre la mesa de cristal. Finalmente me veo en su reflejo, hinchada, podrida de culpa, con el corazón enfermo.

XIV. DEBORAH Y LA METÁFORA DEL RÍO

Elegimos a dos de las más fervientes admiradoras de la palabra de Anne para que nos ayudaran a organizar nuestras reuniones. Ya no cabíamos en mi casa, así que una muy diligente consiguió que el gobernador nos concediera el patio de la escuela para reunirnos. Era una idea brillante: la nuestra era una tarea educativa que ahora además quedaría lejos de la vista del reverendo Peter, cada vez más aguda y penetrante. Según las normas de la comunidad, no hacíamos nada malo, pero al ritmo al que nos juntábamos sin duda comenzábamos a transitar una línea tan quebradiza como los primeros hielos del invierno.

Yo avisaba a las mujeres y decidía los temas a tratar. Anne subía a un pequeño estrado y respondía las preguntas más acuciantes de las devotas, que, para caber en el patio de juegos de la escuela, se situaban en círculos concéntricos. Anne iba dando vueltas sobre sí misma para poder mirarlas a todas de una en una. Las preguntas de las mujeres no acababan nunca, pero Anne jamás desfallecía, atendía a nuestras fieles hasta que quedaban saciadas. Y, tal como habíamos pactado, utilizaba palabras que actuaran como semillas en su interior: tanto Anne como yo estábamos convencidas de que con las imágenes adecuadas comprenderían que el amor de Dios dependía de su capacidad para entender la voluntad.

—No penséis, hermanas, que hablo del libre albedrío —decía con voz suave y segura, cuando empezaban los murmullos que rezumaban duda—. Lo que os estoy intentando demostrar es que somos libres, debemos ser libres para actuar de acuerdo con nuestros impulsos y nuestros deseos, porque, al estar determinada nuestra vida, esta es nuestra obligación. No podemos cambiar nuestro destino. Somos mujeres, Dios nos puso aquí para realizar la obra más preciada, dar vida, pero también podemos encauzarla.

Y entonces fijaba la vista en una:

—¿Mary Robson, qué está haciendo tu marido, Samuel? He visto que ha puesto vallas en las orillas del riachuelo que desemboca en el estanque. ¿Es eso una herejía? ¿Ha modificado en algo los designios de nuestro Señor? —A Mary Robson se le escapaba el color de las mejillas y se quedaba callada e inmóvil como un ratón al que se ha descubierto mordisqueando un trozo de pan seco; Anne entornaba la mirada—. Claro que no, Mary, no sufras. Dios nos eligió, antes de la creación del mundo, para estar en su presencia sin culpa ni mancha, Efesios 1:4. Samuel simplemente ha tomado una decisión que tiene que ver con la vida diaria de nuestra comunidad. Necesitamos esas vallas para encauzar el agua, para que no se desborde y llegar a la temporada de lluvias protegidos, ¿verdad?

Todas asentían, sí, sí, claro que sí.

Y entonces es cuando Anne alzaba la voz. Esa voz, que hasta entonces había tenido un deje tranquilo, se hacía fuerte y brillante y contenía todos los colores de la naturaleza.

—Tenemos la posibilidad de obrar por la gracia de Dios, porque él sabe que la intención de nuestras acciones no es otra que sobrevivir. La diferencia, hermanas, nuestra tranquilidad, es que no podemos actuar en contra del destino, no podemos cambiarlo. Nuestras acciones solo demuestran la voluntad de Dios por obrar en favor del bien comunitario, no por nuestra libertad individual. Es por eso que debéis estar tranquilas. ¡Somos hijas del destino, somos sus herederas!

Y las mujeres aplaudían con los ojos brillantes, aliviadas y llenas de esperanza, orgullosas por tener la mejor predicadora de su parte, no como el ministro o el reverendo Peter, que jamás les prestaban atención, que se ceñían a la palabra, que la usaban como un bastón, recto, duro y nada flexible. Anne les hablaba a ellas, les ofrecía un futuro, y ellas a cambio le otorgaban su fe, su tiempo, su vida entera.

Después, cuando ya todas se habían ido y solo quedaba el silencio, cerrábamos el portalón de la escuela y emprendíamos juntas el camino de regreso a casa.

–¿Crees que se ha entendido bien?

–Perfectamente, Anne.

–¿La metáfora del río qué tal?

–Perfecta. Mucho mejor que la del espejo del reverendo Peter el domingo pasado. No hay por qué desanimarlas: si todo está escrito no habría nada que hacer.

–Sí, tienes razón.

Y hablábamos poco, porque no sentíamos la necesidad de hablar, simplemente sentíamos el viento en la cara, y veíamos cómo cambiaba el paisaje de estación en estación; vaciábamos la cabeza de pensamientos. Fíjate, Dios mío, Padre bendito, ahora que estamos en confianza, que en esos días tan felices llegué a pensar si no éramos nosotras dos las que mecíamos los árboles a nuestra merced, si no éramos nosotras las encargadas de dictarte a ti cuándo debía llover y cuándo comenzar a refrescar. ¡Menuda tontería!, ¿no crees, Señor?

15. PASEO DE LA CASTELLANA, 11 (AHORA)

Hay días soleados como este en los que solo encuentro consuelo en las chicas muertas.

Si el día es especialmente espléndido, con su cielo azul cerúleo, sus madrileñas flores rosadas y rojas y sus árboles gigantes de ramas negras que llenan de frescor el paseo del Prado, entonces, más que nunca, tengo que correr hasta casa y buscar refugio en sus historias.

No miro sus cadáveres, no soy de esas. No me interesa la carne. Solo quiero ver sus fotos de cuando estaban vivas, rozagantes, contemplar sus ojos acuosos, sus cabellos largos y enredados, de un rubio verdoso, como de sirena.

Son mis sirenas muertas.

La primera es Anastasia, una rusa con nombre de aristócrata, ojos de gata y nariz afilada. Se tiró de un edificio en Kiev, en los meses previos había perdido mucho peso. Por lo que leo en la prensa, se había separado hacía poco de un empresario moreno y alto. Dicen que unas voces la alertaban de que no fuera cobarde. En las fotos junto a él se les ve felices, son las únicas en las que ella sonríe. Las modelos sonríen poco.

Contemplo los ojos rasgados de Daul, su melena negra

y lacia, sus enormes y altos pómulos. En algunas fotos abre ligeramente la boca, pero en la mayoría se limita a mirar de soslayo muy seria a cámara. Encuentro un vídeo en el que ella, sin maquillaje, graba a sus compañeras con su teléfono. Desde la pantalla de su móvil hasta mi ordenador llega la Daul de hace un par de años entrevistando medio en broma a una modelo con cara y cuerpo de niña –es, en realidad, una niña– que admite su peor miedo: que se le caiga un zapato en la pasarela y tropezar. En una toma se ve a Daul con las uñas pintadas de negro, el pelo recogido en una coleta y la tez limpia. Alguien la graba a ella mientras pasa las páginas de un catálogo fotográfico y explica, con entusiasmo, su amor por Tolstói. Cuenta entre risas que cada vez que habla de Tolstói con un americano este cree que se refiere a *Toy Story*. Después de un corte el vídeo recupera a Daul en la suite de un hotel bailando techno industrial de manera algo cómica con un vestido de flecos rosas. El vestido es de Anna Sui, grita Daul, sus brazos son muy delgados, parecen ramas agitándose al tempo de un sintetizador. Daul tiene la piel de un color tostado suave y los ojos muy negros. Daul se tiñó el pelo de rubio poco después de hacer el vídeo y se colgó en su apartamento de París.

Ruslana es, de todas, la más conocida. Es sobre la que hay más información, más fotografías, más de todo. Tenía el pelo largo y sedoso, era su seña de identidad en la agencia que la representaba, y los ojos del mismo verde turquesa que su amiga Anastasia. Sus labios son carnosos, como los de una princesa de cuento. Su apodo era, precisamente, Rapunzel. Era una modelo kazaja, descubierta con apenas quince años en Almatý, su ciudad natal. En su imagen más famosa, Ruslana lleva el pelo muy largo y ondulado, los hombros descubiertos y un vestido de tul color pañal. Abre las puertas de un castillo lleno de brillos, con los ojos muy

143

abiertos, como si hubiera visto una aparición. Veo una y otra vez ese anuncio en internet en el que Ruslana corre hasta una montaña de manzanas y se encarama a ella sin dificultad, con los ojos como platos, mirando algo que no llega a ser visto por el espectador, algo que permanece oculto. Cuando llega a lo alto de la pirámide desigual de manzanas, sigue con la mirada en un punto lejano, perdido, en éxtasis. Finalmente, vemos lo que ella ve: un frasco de perfume con forma de manzana que agarra con cuidado, haciendo equilibrios, logrando no caerse. Ruslana se lanzó de su apartamento en una novena planta en la calle Water, en la parte financiera de Manhattan, una noche de junio de 2008. Su apartamento estaba a dos manzanas del río. Desde su casa se podía ver la otra orilla y se intuía la vegetación y las casas bajas de cemento de Brooklyn.

Pero, de todas ellas, Lucy es a la que más me gusta ver. Su rostro es perfecto. Tiene la cara esculpida a cuchillo, como si hubieran pulido sus rasgos en piedra, como si hubieran sido creados a partir del mármol, lijados y abrillantados hasta crear una cara llena de líneas rectas, curvas diseñadas a compás, montículos tridimensionales de terciopelo y alabastro. Su piel es translúcida y rosada, del tono 32 de Max Factor. Tiene la nariz recta y los ojos sinuosos y alargados, como los de un dibujo realizado por ordenador, con los párpados ligeramente caídos, que dan una impresión de somnolencia o, según se mire, de una sexualidad despreocupada e insinuante. Toda ella es una representación modélica de la idea de mujer: pestañas espesas, cabello liso, pelirrojo, pecas por toda la cara, unas cejas finas en forma de interrogante, una boca perpetuamente entreabierta, en una mueca que acaba en U dejando ver un par de incisivos pequeños y poco amenazantes. Lucy es lo que los británicos denominan «una rosa inglesa».

Hay muchas imágenes de Lucy. Lucy durmiendo, Lucy cantando, Lucy en los estrenos de sus tres únicas películas, la carrera fulgurante de Lucy, la gran promesa de un cuerpo que seguro que huele a natillas, un cuerpo impoluto, incorrupto, aún desconocido para el gran público.

Lucy discutió con su novio una noche y se colgó mientras él dormía en la habitación de al lado entre las cuatro y las cinco de la mañana, la hora del lobo, la hora de los temores, la hora del insomnio.

Es a esa hora cuando busco información de todas ellas hasta que se hace de día, y el sueño no llega. Aunque me meta en la cama, los ojos se me resecan, la garganta se me cierra por la ansiedad, y doy pequeñas patadas, como si mis piernas tuvieran vida propia, como si no pudieran evitar manifestar una rabieta. No duermo pero no estoy plenamente consciente tampoco. Es en ese estado en el que a veces las sirenas me hablan, justo en ese letargo, y me cuentan qué ha sido de ellas, por qué lo hicieron. Susurran verdades, temores cumplidos, soluciones finales inmediatas. Sus voces, imaginadas, se deforman, y repiten letanías. Sus rostros aparecen como los de Ofelia, enmarañados por el agua del lago negro, cubiertos de flores de almendro, de delphiniums, de nenúfares. Sus ropas deshilachadas y grisáceas son del mismo color que sus pupilas. Son mis retornadas, mis aparecidas. Como si se tratara de ramilletes de anémonas, de joyas preciosas, las atesoro día tras día. Su silencio se llena de palabras y yo prosigo mi búsqueda de su carne de píxeles, donde ellas están vivas, siempre vivas, eternamente bellas solamente para mí.

XV. DEBORAH Y EL SEÑOR COTTON

A la salida de la escuela, una tarde oscura de invierno, tras uno de sus mejores sermones, nos estaba esperando el marido de Anne junto a un hombre alto y delgado, con un farol con la mano. Anne les sonrió y se giró hacia mí y me dijo: «Les he pedido que nos esperen y hagamos juntos el camino hasta tu casa, así podemos hablar.»

Disimulé mi sorpresa y avanzamos los cuatro en silencio, como solíamos hacer las dos solas, hasta llegar a la puerta de mi casa. No pude ver bien el rostro del desconocido que nos acompañaba hasta que entramos en el salón y encendí el fuego de la chimenea. Tenía una cara fina y pálida y los cabellos negros. Pese a que debía de tener mi misma edad, sus ojos eran jóvenes y del mismo color de su pelo. Parecía una cara digna de ser dibujada, todos sus rasgos encajaban y denotaban inteligencia y cordialidad. Puse agua a hervir y serví el té, que él me agradeció efusivamente. Un hombre amable bajo mi techo seguía siendo una sorpresa después de lo que parecía una eternidad en la bahía. Aunque los hombres eran cada vez más amables conmigo, ya me había dado cuenta. Desde que Anne predicaba en la escuela y yo era su acompañante y benefactora, nos habíamos convertido en una especie de celebridad, un dúo importante. Algo había sucedido, la consistencia del aire era más ligera, nuestros pasos más rápidos y certeros, todo estaba a nuestro favor. La respetabilidad es un manto tremendamente confortable: es invisible pero una vez que la alcanzas no puedes vivir sin su calidez, sin la protección que te brinda.

Y así llegaban los hombres amables, toda una novedad en mi vida. Señores de todas las edades que me saludaban con una sonrisa cuando nos cruzábamos por el pueblo, que pedían mi opinión sobre todo tipo de materias simplemente por el gozo de hablar conmigo, de contar que yo, Deborah Moody, una mujer piadosa y venerable, les había dado mi parecer.

Tenía ante mí ahora a un ejemplar de hombre amable, diligente y algo callado al principio. Anne había hecho las presentaciones: se trataba de John Cotton. El nombre me resultó familiar, porque, más allá de nuestras ocupaciones, estábamos enteradas de hasta qué punto se estaban forjando las alianzas en la bahía. Pese a vivir en la periferia, Boston quedaba cerca, y Cotton era ya un hombre de cierta importancia. En aquella época se presentaba como un rebelde reformista, o algo parecido, al menos eso es lo que había llegado hasta nuestro pueblo. Anne nunca le había mencionado y, de hecho, no sabía que se conocieran. Pero Anne lo aclaró enseguida, sentada entre los dos hombres, presidiendo de alguna manera mi mesa con uno a cada lado, y yo enfrente. Se habían conocido en Inglaterra. Al poco de casarse, Anne y su marido habían presenciado uno de sus sermones durante el viaje de novios. Quedaron tan impresionados que se hicieron asiduos a su iglesia, que se encontraba a día y medio de viaje. No importaban las inclemencias del tiempo, allí estaban los Hutchinson, cada domingo, para verle predicar. Tienes que escucharle, Deborah, él sabe exactamente lo que queremos hacer y puede ayudarnos. Nuestra doctrina coincide con la suya. No hay persona más inteligente y brillante que John, era preciso que os presentara.

Cotton le dio una suave palmada en la mano, como para callar sus elogios, avergonzado. Anne entendió el gesto e interrumpió su discurso. Anne, callada simplemente por un gesto. Sentí un escalofrío.

Finalmente, Cotton habló: lo que la querida señora Hutchinson intenta decir con estas alabanzas desmedidas es que ha llegado el momento de que hablemos. He estado predicando en Boston todo este tiempo, pero de una manera algo soterrada. Los gobernadores de la bahía no son muy amantes de nuestra creencia compartida de que la fe es la verdadera medida de la salvación del alma. Es por eso que he estado carteándome con Anne desde que llegamos al nuevo mundo. Las mujeres, ustedes, son el vehículo perfecto para desarrollar nuestro pensamiento verdadero sobre el amor a Dios. Anne me dijo que debía conocerla. Dijo que usted tenía una visión parecida a la nuestra. Que entiende la relación directa con Dios igual que la entendemos nosotros, como una relación natural, y con ello me refiero a la naturaleza. Que la fe tiene los mismos componentes que la vida natural, el movimiento, la alimentación, el crecimiento, la reproducción y la expulsión de aquello que es peligroso.

Tanto Anne como su marido le miraban asintiendo como se asiente en la iglesia, como las mujeres asentían en la escuela, absortas, bebiéndose las palabras de Anne.

–Entiendo, señor Cotton, que usted ha venido a felicitarnos. No es necesario. Me da una tremenda alegría que comparta nuestra idea de la fe, es usted bienvenido a esta ciudad y a mi casa siempre que desee.

Todos sonreímos, y Anne y Cotton intercambiaron una mirada rápida.

–No se trata exactamente de eso, Deborah. Ha llegado el momento de dar un paso más –dijo Anne, sus ojos centelleantes por el fuego de la chimenea–. John es un predicador incómodo en Boston, pensamos que aquí tendrá mejor acogida.

No, no, no. Anne, no. Somos perras viejas, Anne, no.

–Pero no lo entiendo. ¿Creéis que el reverendo Peter le va a ceder su lugar? Comprendo vuestro optimismo, pero es algo desmedido. Peter jamás le dejaría su espacio al primero que llegue, y mucho menos si ha generado algún tipo de problema en la bahía. Anne le tiene mucho aprecio, señor Cotton, pero no veo en qué puedo ayudarle, sinceramente.

No.

El señor Cotton asintió con aparente placidez, y su rostro me pareció, de repente, el de un hombre en estado de alerta. Anne y él se miraron, se levantaron a la vez y se dirigieron a la entrada. El marido de Anne se quedó sentado, casi como un mueble, lo cual me hizo comprender que la conversación no había terminado. Le miré, un pobre hombre que había sido un señor recto y ahora estaba ante mí con los hombros hundidos. Me pregunté cual sería la naturaleza de su relación. ¿Se amaban como el primer día? Quizás, pese a mi fracaso, no era del todo imposible. Quizás habían conseguido aquel entendimiento que a mí se me había escapado, pese a que Anne jamás hablara de su marido. Pero estaban esperando el decimocuarto hijo, eran una pareja que en algo se avenía, aunque en ese momento, quizás por el centellear del fuego, vi los pómulos hundidos del señor Hutchinson y pensé si no sería Anne quien le estuviera chupando la sangre, de alguna manera, consumiéndole. La culpa por haber tenido un pensamiento tan macabro me sobrevino en un rubor vergonzante que, por suerte, nadie notó.

La leña crepitaba mientras Anne y Cotton, de pie, intercambiaban palabras ininteligibles y se miraban a los ojos en un momento largo y untuoso, un momento extraño entre los dos en el que tuve que apartar la mirada y mirar al frente hasta que finalmente el momento terminó.

Anne se me acercó para enfrentarme con la mirada.

—Creemos que es el momento de que los hombres se incorporen a esta lucha, que participen de nuestras reuniones —dijo Anne—. Solo así expandiremos la fe.

Noté entonces un peso enorme sobre mi pecho, una oleada escarlata de sangre y lodo, que me dejó el cuerpo como un peso muerto. Era el peso de todo lo que no había sido capaz de ver hasta ese momento. Todo lo que no quería comprender, pese a que estaba delante de mis narices.

—John es mi maestro, Deborah. Son sus palabras las que he estado repitiendo día tras día en los sermones.

16. CALLE VERDI (ANTES)

Estoy sentada con una amiga en un bar de la calle Verdi y me doy cuenta de que estoy soltera. Lo sé porque todo lo que ocurre a mi alrededor me resulta detestable y esa es una de las cosas malas de la soltería: tienes que hacer un montón de cosas que detestas. Cuando estás en pareja también, pero al menos tienes a alguien a tu lado a quien poder odiar por tener que hacerlas.

Estamos en un bar de nombre infame, algo como Cadaqués, Montblanc o Senyora Pepita, atendido por dos ecuatorianas que, con toda la desgana de la que son capaces, nos sirven unas anchoas de l'Escala de bote y *trinxat* de la Cerdanya recalentado. Frente a mí tengo a una mujer de treinta y ocho años que bebe cerveza y me habla de un hombre y me hago cargo de que estoy soltera otra vez, con todas las letras.

Ojo, el problema no es la soltería en sí. Ojalá lo fuera. Desde mi nueva nebulosa de ansiolíticos apenas capto lo que pasa a mi alrededor, pero hoy se evidencia, en todo su esplendor. Como me acaban de dejar y vuelvo a estar soltera, regreso, una vez más, a un ritual que había olvidado: tengo que escuchar a una mujer quejarse de un hombre. Veo su

151

boca fina, pintada de carmín, semejante a un tajo hecho en la piel, abrirse y cerrarse en un lamento que no termina, como el de un lobo estepario, un lamento primigenio, musical, repetitivo, y concluyo que estoy realmente jodida. He aquí mi penitencia. He sido tan mala que me toca repetir esta escena, como el castigo de Sísifo, para toda la eternidad. Amigas balbuceantes, lloriqueando por hombres, son mi condena a perpetuidad. Me las van a imponer una tras otra, en una cadena de montaje, hasta que, exhausta, me desplome. Y al día siguiente lo mismo, una y otra vez. No, no se me escapa la ironía de que voy de benzodiacepinas hasta las cejas porque estoy en la misma situación que ellas, no. Pero al menos yo no quiero ver a nadie. No hablo. Por cierto, esto no es una nimiedad: a nadie le hace falta que hable, ya me he dado cuenta. Para mis interlocutoras, lo mismo da. Podría ser de cartón piedra, no importaría nada. Una se da cuenta de lo poco que importa a los demás cuando es capaz de socializar en estado prácticamente vegetativo sin que nadie lo note. Eso pienso ahora en este momento que no termina nunca, en esta velada soporífera en este bar, en la calle Verdi, esta vena gris que recorre el antebrazo de Barcelona desde Gràcia hasta los inicios de Vallcarca, este río musical y semipeatonal que hace las delicias de los treintañeros profesionales liberales los sábados por la tarde, donde van a pasear con sus hijos que se llaman Max, Leo, Jan, Lola, Candela. Si me diera, ahora mismo, por salir de este bar y gritar «Max, Lola, ¡a cenar!» en medio de la plaza Revolució, una veintena de niños que juegan en el parque infantil dejarían inmediatamente sus columpios y toboganes de colores primarios y, en fila india, obedientes, se acercarían hasta mí.

Mientras pienso en los niños, admiro cómo se mueve el tajo de la boca de mi amiga y asiento. Solo tengo que asentir, es suficiente. Cuando estaba contigo no tenía que socializar si no quería y no tenía por qué pasar por la calle Verdi. Supongo que si volvieras conmigo podría no volver a pasar por Verdi nunca más, ni hacer cosas que detesto hacer. Pero no vas a volver. Ya no. Una persona cuerda me diría que puedo no hacer estas cosas, pero no es cierto. La soltería te obliga a una serie de rituales indispensables, a mantener un cierto tipo de relaciones sociales para no acabar hablándole a un flexo, a una planta, a otro imbécil. Al menos los fines de semana debes transigir en ciertos aspectos para parecer una persona normal. Y por eso te resignas a una lista de cosas insoportables. La comida etíope. Los conciertos de música experimental. Una salida con amigas.

Ah, sí, las amigas. Porque esto va de amigas. Va de recuperar los lazos estrechos y profundos que te relacionan con una persona con la que tuviste algo que ver alguna vez, con la que te metiste pastillas en una discoteca, una persona que quizás conoció a tus padres. Es por eso que estoy aquí ahora, en uno de estos abominables bares de la calle Verdi en un mes de julio sofocante. Sí, esto va de amigas, como la que tengo delante. Esa amiga cuyos padres tuvieron que hacer un esfuerzo para que la pequeña, la única mujer, fuera la primera universitaria de la familia. Y pudo elegir, por supuesto, dejando de lado los años paternos de estirar dobladillos, de pedir préstamos y beber café recalentado, así que no se decantó por Medicina o Ingeniería, no, lo que la chica quiera, dijo papá, y ella eligió Humanidades y ahora es una profesional de éxito como directora de nuevos contenidos digitales multiplataforma en una multinacional y, aun así, no es feliz. Esa es su condena. Tanta entrega, tanta devoción, le han hecho creer que es una especie de genio que lo merece todo y, al no obtenerlo –¿acaso alguien puede tenerlo todo?–, su resentimiento es inmenso. Veo su envidia, la huelo. Ahora está a punto de sacarla a pasear con quien tiene delante. Es decir, conmigo.

Esta amiga de mi pasado me odia, yo lo sé. Lo sé por varios indicios que no vienen al caso. El más importante y definitivo es que ahora que estoy mal me ha propuesto quedar y se le nota encantada de verme en mi peor momento. Esta amiga que habla y que acabo de recuperar me cuenta historias de Nueva York y de Londres, del sueldo que cobra por hacer algo caro e inútil, algo que yo no sé hacer ni sé lo que significa. Repite su sueldo de seis cifras porque asume que no tengo dónde caerme muerta. Asume bien. Esta amiga que es tan superior a mí habla tres idiomas con fluidez y tiene algo que contarme, por supuesto: su imbricada vida sentimental, llena de martinis y desplantes, de taxis a medianoche, de llamadas desde Helsinki, de sexo en hoteles. Me habla de acciones que me resultan ajenas, tan ajenas como si apareciera un tigre de Bengala en este bar un sábado por la noche. Esta amiga a la que no le importo nada me exige que yo le responda únicamente a una cosa, solo una, la más importante: ¿él se va a separar? Y todo mi cometido es, por supuesto, asegurarle que el quinto hombre casado que ha conocido en dos años se va a separar. Para eso estoy aquí. Soy una rata de cloaca. Soy un despojo humano. Por eso estoy en la calle Verdi frente a una mujer de treinta y ocho años de piel cuidada a base de cremas y tratamientos a la que no le importo un carajo, para decirle que sí, que por supuesto se va a separar.

Mi amiga pide otra cerveza y de repente hay algo en su blusa de raso color hibisco que despierta una tristeza insondable en mí. Ella habla y habla sobre su último encuentro en Liubliana o Estambul mientras yo comienzo a ver lo que se intuye detrás de la manicura color sangre, las inyecciones de vitaminas y el párpado que comienza a aflojarse. Le pido que me enseñe una foto de Frank, Gary o John y me muestra a un hombre muy atractivo, exitoso, con canas y ojos oscuros, delgado, bien vestido, que no se va a separar, con la pinta exacta de ser un billete asegurado a una vida plácida, con suscripciones a revistas extranjeras y amante de los vinos chilenos. Entiendo, por su silencio expectante, que ella espera una reacción, algo más que mi cara, que pesa como un saco de patatas por el efecto de las pastillas, a punto de caer sobre el plato de *trinxat,* y asiento a algo que no he oído y digo sí, sí, por supuesto que sí. Por su mueca de decepción intuyo que es la respuesta incorrecta, me he equivocado. Contemplo el surco de sudor que se empieza a formar bajo su blusa carísima y ella me dice: «Ves, en esta foto me manda una señal, sé que la subió para mí, me quiere decir que piensa en mí porque en la esquina se ve un disco de Gino Paoli.» Yo busco a qué se refiere en la foto, una captura que ha sacado de Twitter, y la amplío y veo un rectángulo gris del tamaño de una uña.

«A los dos nos encanta Gino Paoli, me lo puso la primera noche que nos acostamos», dice, sin hacer una pausa. «Sé que me manda mensajes ocultos a través de las redes», y yo no me sobresalto en ningún momento, solo asiento y digo sí, sí, claro, y fijo mi mirada en su labio delgado e hidratado, cubierto de carmín, y dejo que siga hablando y asiento en los momentos adecuados, mientras pienso que cuando nos acabemos la cerveza, si convenzo a mi amiga de que hagamos un rodeo por Vallfogona, es posible que no tenga que volver a pisar la calle Verdi jamás, pero ella dice: «¿Te conté lo que pasó en Neukölln la última vez que nos vimos?» Y entonces veo las chispas en sus ojos y recuerdo que un novio que tuvo le exigía la depilación integral, y me acuerdo también de que a la mujer que limpiaba en su casa («la chica», llamaba ella a una mujer ucraniana de unos

155

cincuenta años) le regalaba los paquetes de galletas que no quería, paquetes ya abiertos de Chiquilín y biscotes integrales, bolsas de cereales baratos sin acabar que llevaban meses en su despensa, ten, para ti, le decía con una sonrisa de amabilidad beatífica, ten, para ti, decía ella, y llevaba camisetas grises para hacer pilates que decían FEMINISM y vota izquierda y está en un grupo de consumo, y pienso que me está bien empleado por tener amigas, y es en ese momento y no en otro cuando veo por primera vez cómo me elevo y nos veo desde fuera, dos mujeres en la treintena, en un bar, agarrando dos copas de cerveza un sábado por la noche en un verano caluroso, rodeadas de gente joven que está a punto de pasárselo muy bien en algún lugar, y me elevo un poco más, solamente un poco más y puedo ver el bar entero, el barrio hirviendo de actividad, como un montón de hormigas rojas intercambiando mensajes en clave, organizando comidas, destinos, otras vidas extrañas que no son esto, hay algo que sucede que no es esto y es justamente entonces, mientras ella pronuncia la palabra «Taipéi», cuando sé que vamos a morir todos, que será pronto, que nadie saldrá vivo de aquí.

XVI. DEBORAH Y EL AMOR

Me incomodas, Padre, tirando de mí hacia arriba. No sé por qué quieres que salga de debajo de esta tierra en la que tú mismo me has colocado. Macerada en arena y sal, qué destino tan incierto. No sé por qué me obligas ahora, qué fuerza empuja centímetro a centímetro a mi cuerpo inerte pero vivo a escarbar hacia la luz. ¿Quieres acaso una conversación de tú a tú? ¿Quieres sentarme frente a tu trono o que me siente en tus rodillas? No comprendo, Dios mío, el porqué de este monólogo al que me obligas. Si hubiera un momento para hacerte presente, este sería uno particularmente bueno, ¿no te parece?

Sé lo que intentas, aunque no me respondas directamente con tu palabra. Tironeas de mí hacia arriba para que hable, es esa tu manera de indicarme que debo seguir hablando. ¿No he hablado ya lo suficiente? ¿No ha sido esto más de lo que conté jamás a nadie? Y, sobre todo, ¿por qué justo en este momento? ¿Por qué ahora?

Me obligas a volver a vivir lo que pasó, claro, una y otra vez. Eso ya lo sé. Pero no quiero salir. Me he acostumbrado a estar aquí, tapada. Hace tiempo que me acostumbré a estar muerta.

Pero mi Anne, mi Anne querida. Después de la aparición de Cotton, qué otra cosa podría haber pasado. Desde el jardín de casa, con toda aquella vista a la bahía y el puerto, podía veros avanzar, dos hormiguitas hacendosas, juntos, hablando en voz baja, ya no altivos como íbamos tú y yo por los caminos del pueblo, contra el viento, sino como dos ancianos chepudos que tienen un secreto. O más bien uno, un solo anciano, porque eso erais, una sola persona con dos cabezas, una hidra bicéfala que mantenía un rumbo implacable, en todas direcciones, como cuando el fuego arrasa los campos secos de trigo. Por supuesto, es mi rencor el que habla. Pero ¿desde cuándo el rencor es una mentira? ¿Acaso no es esta mi versión de la historia? Pues bien, en mi versión erais un monstruo que reptaba por las calles desvirtuando todo lo que habíamos conseguido. Los hombres tenían el plan, la colonia, y siguiendo ese plan troceaban la tierra, pero nuestro iba a ser el futuro. ¡El futuro entero!

Nadie en la colonia pareció darse cuenta del cambio, no al principio. Aunque permanecí cerca de vosotros, lo suficientemente cerca, para escuchar que lo que habíais organizado comenzó a dar su fruto a través de las habladurías de los habitantes de Salem. ¡Qué digo Salem! ¡Toda la bahía de Massachusetts conocía vuestra historia! La mujer piadosa que enfervorizaba a los fieles, que lograba extraer de la palabra divina, Padre querido, la miel más dulce, que les hacía creer en la salvación. Nuestro nuevo mundo necesitaba de una ilusión, y tú se la diste. Se llenaban las casas a las que ibas a predicar, cada vez tenías más adeptos, más tarea, más amor.

Ah, el amor. Todavía hoy pienso en el amor. No pude competir con ese amor, ninguna de nosotras pudo, eso era evidente. Ya no podía anticiparme a ti, Anne, te me escapabas. ¿Cómo intentar penetrar en la mente de una hidra, si ambas cabezas pensaban y avanzaban al unísono pero eran imprevisibles? Cómo hacerte entender, Anne, que lo que Cotton proponía era un riesgo que ninguna estaba dispuesta a asumir menos tú, sí, tú, porque en el fondo estaba la máxima de que el amor lo podía todo, esa basura hedionda que nos inculcaron, que el amor nos purificaría y nos haría invencibles, tú, una mujer inteligente, la creíste a pies juntillas como todas las demás creímos en ti, esa era la trampa en la que habías caído, y la rabia que sentía al darme cuenta me hacía desollarme los nudillos en las paredes de las casas de nuestro pueblo, no podía creer que hubieras caído en algo así. El amor. Yo había cruzado océanos para salvarme de la muerte, a mí y a mi hijo, pero tú habías llegado hasta aquí siguiendo a un hombre, y convenciste a tu marido, e incluso a ti misma, de que era por devoción a Dios. Anne, qué desastre.

Cuando Cotton llegó se acabaron nuestros planes para las mujeres del nuevo Canaán. Ya no iríamos a buscar nuestra tierra, alejada de los que habían intentado imponer su visión frente a nuestra realidad. Mi dinero ya no era suficiente para nuestro proyecto común. Ya nada fructificaría, ya no envejeceríamos juntas, ya no fundaríamos nuestra propia colonia. Yo ya había iniciado los contactos para mudarnos unas millas más al sur, en la Nueva Holanda, todas juntas, arrastrando nuestros cuerpos lejos de esa trágica bahía inerte que nada nos ofrecía en realidad. Pero Cotton llegó ofreciéndote las mismas baratijas que les ofrecimos nosotros a los indios, sí, y tú creíste en él, porque el amor lo puede todo, y la palabra es sagrada, y un pacto es un pacto, y toda esa estupidez maloliente que solo me recordaba a mi juventud perdida, cuando dejé que mi carne se aflojara esperando un deseo, con aquella sed concentrada que jamás había vuelto a sentir desde entonces.

¿La sentiste tú, Anne? ¿Fue Cotton, en las noches de invierno, quien volvió a iluminarte los ojos, quien encendió tu pecho, quien hizo que recuperaras las ganas de vivir? Qué importa que tú también estés muerta, contéstame. ¿Qué fueron? ¿Sus ojos amables? ¿Su voz profunda y sosegada? ¿Su verdad? ¿Qué te hizo abandonarlo todo para confiar en la placidez eterna del amor, una placidez que nadie, nunca, jamás, ha sido capaz de conseguir? Sin duda, no fue tu marido quien te empujó a lo que vino después. Tuvo que ser Cotton, con su pelo oscuro y su voz de padre amantísimo, de padre que recuperaste tras tantos años huérfana, el que logró encender tus mejillas y mandarte de capitana de una revolución que jamás había sido la nuestra. Supongo, porque ya no puedo imaginar, solo suponer, que la energía de un amor así te hace sentirte omnipotente. La simple posibilidad de sentirlo debió de ser suficiente para ti. Pero nos abandonaste, Anne, como nuestra sociedad pacata abandonó a Regina en medio del bosque para que pariera sola, nos dejaste sin tu salvación, sin tu palabra y sin la posibilidad de un futuro.

Yo te maldigo, Anne Hutchinson, siglos después de tu muerte, por lo que nos hiciste. No te he perdonado ni lo haré jamás.

¿Es esto lo que querías, Padre? Ahí lo tienes. No me hagas recordar más, no me hagas seguir recordando.

17. PASEO DE L'EXPOSICIÓ (ANTES)

Espero que pague ella. Eso es lo primero que pienso, mientras asciendo con dificultad por las calles estrechas del Poble Sec. Desde que no hago nada más que estar tumbada en la cama o en el sofá, todo me pesa. Últimamente mis días se repiten y se condensan en uno solo. Tomo mis pastillas. Bebo agua del grifo. Salgo a dar la vuelta a la manzana. Mi cuerpo tiene el metabolismo de una persona de ochenta y cinco años que camina con sumo cuidado, casi a tientas para no tropezar y quebrarse un hueso. Nada en su interior se mueve. Nada se agita. Las leyes de la termodinámica dejan de existir para él. El teléfono suena a veces, y nunca lo cojo. La de Esade con quien convivo, dueña del piso en el que me alquila una habitación, ha comenzado a quejarse. Sus padres, dos parisinos riquísimos que decidieron invertir en la educación de su hija —algo que, en la actualidad, representa básicamente comprar un piso en esta ciudad—, están algo molestos porque pago con retraso. Ella, una veinteañera de piel lechosa y ojos de ciervo que sale por las noches por la Villa Olímpica a bailar salsa, no esperaba una compañera de piso como yo. No me levanto de la cama, mi cuarto es un vertedero de ropa y piezas de fruta que compro en mis intentos por comer mejor y que acaban descompuestas a las pocas semanas. Desaparezco dos o tres días para beber y follar con desconocidos, pero luego no se lo relato como ella desearía. Ella proyectaba conversaciones de loquitas que transitan por el barrio Gótico bebiendo mojitos, la película que se había montado en su cabeza de compartir piso en Barcelona, pero yo me encierro y no salgo nada más que para sacar vino de la nevera y seguir durmiendo. No encarno a la habitante de la ciudad brillante y bohemia que imaginaba, y la verdad es que lo siento por ella. Porque tiene razón. Ella merecía algo mejor. Merecía paseos por la Barceloneta y a alguien que la escuchara. Merecía que le enseñara buenos bares en el Poble Sec y le presentara a chicas dicharacheras para formar una pandilla. Pero yo no hago nada. Literalmente. «Ni siquiera lavas tus sábanas, tu habitación apesta», dice a veces con asco. Yo asiento algo distraída, me disculpo, y le pago erráticamente, en un intento de que olvide mis torpezas. Sé que tiene razón. También sé que no duraré allí, si tiene paciencia me aguantará tres semanas más, como mucho, y luego me largará.

Pero ahora, cuando finalmente llego al paseo de l'Exposició, contemplo con gusto cómo se abre la calle, sinuosa, y me doy cuenta del cambio de temperatura. Hace una mañana ventosa y fresca, mucho más fresca de lo que es común en este verano infame, pero eso está bien, me despertará. Enfrento la cara al viento, hasta que se me saltan las lágrimas y moqueo. Estoy algo inquieta, y no sé muy bien por qué. Miro a mi alrededor, para intentar distraerme. Recuerdo haber leído en algún plan del ayuntamiento que esta fue, históricamente, zona de canteras y barracas, un espacio urbanizado aleatoriamente, algo que se aleja del orden al que estoy acostumbrada. Las casas brotaban como setas, hace un siglo la central eléctrica se situaba en la falda de la montaña, y el nombre del barrio proviene de la falta de agua natural. Un pueblo seco. Donde no brota el agua no existe la civilización, y los territorios sin ley son siempre espacios de disputa, yo lo sé, y eso me pone nerviosa. Donde no hay agua no hay vida, donde no hay agua nada fructificará. Además, a estas alturas solo pienso en el agua marrón que nos cubrirá, espero, ¿cuánto falta?, ya no debe de faltar mucho, no, ya no falta mucho para que todo esto acabe.

Al alcanzar una curva de la calle me llega, de repente, un olor a sofrito que llena el aire y mi estómago se contrae, y el hambre no me deja seguir pensando.

En serio, espero que pague ella.

He quedado para comer con una amiga de un amigo que me va a ofrecer trabajo. Me llegó un email hace unos días, y a eso me aferro, como si se hubiera adelantado la Navidad, como si eso pudiera sacarme de mi letargo. Desde que me echaste del piso y dejé de presentarme en la oficina, ando justa de dinero, claro. Supongo que podría pedirles algo prestado a mis padres, pero están de vacaciones, lejos de aquí, y eso implicaría dar explicaciones sobre nuestra separación. Con lo que le gustabas a mi madre, qué disgusto. Supongo que podría volver al ayuntamiento si realmente me esforzara. Se han visto casos de abandono del puesto de trabajo mucho más absurdos que el mío, y que han contado con la magnanimidad de nuestra oficina de hormigón armado en Glòries. Supongo que podría volver, como un perrillo descarriado al que se le han permitido ciertas extravagancias y ahora regresa a por comida, pero desde hace un tiempo entiendo lo que me pasa como una especie de señal de cambio que debo atender pase lo que pase. Tengo que despojarme de mi vida anterior, tengo que renovarme, tengo la oportunidad de ser otra y se me está brindando ahora, delante de mis narices. Necesito ponerme a trabajar cuanto antes y este es el boleto de la suerte que estaba esperando.

En todo esto pienso cuando llego al bar-restaurante elegido por mi interlocutora, un espacio pequeño y coquetón, lleno de maderas enceradas y luces bajas, que gusta mucho a los actores y actrices que trabajan en un teatro cercano, y que por eso abre hasta tarde. Un sitio de moda. El lugar adecuado para una entrevista de trabajo a una aspirante a un futuro mejor pero sin grandes pretensiones, pienso. Aunque casi no puedo pensar, porque para cuando llego a la puerta me ruge el estómago.

Aunque llego pronto, ella ya está ahí, en la única mesa ocupada. Es morena, pequeñita, de tez clara y sonrisa amable. Parece nerviosa o energética, realmente no lo sé, pero intuyo que se trata de una mezcla de ambas cosas. En cuanto me ve, hace un gesto rápido para que me acerque, y me siento frente a ella. Estamos solas, es temprano, y a estas horas solo se oye el trajinar en la cocina. Unos platos que se lavan, el tintineo de unas copas. A lo lejos, capto las voces de los trabajadores en la parte de atrás, cargando cajas. Mi acompañante levanta una mano con una sonrisa y el camarero se acerca presuroso y nos canta los especiales del día. Todo se resuelve rápido. Por suerte ella pide por las dos, liberándome de un incordio más: cuscús de cordero y una botella de vino blanco. Cuando le digo que no bebo, sonríe. Es su primera reacción a algo que digo. Bueno, en realidad, es la primera vez que abro la boca. Algo en sus ademanes hace saltar una alarma dentro de mí, en algún lugar del plexo solar, una angustia desconocida. Algo que en otro momento hubiera sido una intuición.

—Esto no es una entrevista de trabajo, ¿verdad?

Ella suspira y sonríe.

–No, no lo es. No sabía si aceptarías venir si no ponía una excusa.

Al oír sus palabras se me cierra el estómago de inmediato, así que en cuanto nos traen los platos opto por juguetear con el cuscús. Por el contrario, ella sí come y bebe con gusto. Se lleva la copa a los labios y miro cómo desaparece el líquido amarillo, casi transparente, de un trago. Debe de ser un buen vino, aromático, que hace que se me llene la boca de saliva instantáneamente, aunque no quiera. De repente algo de oxígeno se abre paso en mi cerebro e intuyo algo, algo relacionado con el sitio donde estamos. Es un día laborable, ¿verdad? ¿Qué día es?

–He quedado contigo aquí porque siempre me has caído bien, te considero una persona inteligente, alguien capaz. Si hubieras querido, podrías haber conseguido un buen lugar en la organización. Pero ya sabemos que a veces las cosas se... tuercen.

Es un lunes de agosto, joder. Hoy no hay teatros. Por eso el restaurante está vacío.

–Todo está yendo muy deprisa, imagino que lo sabes, que lees la prensa, ¿sí? Bueno, el caso es que voy a ser nombrada secretaria de organización y... él –no se atreve a decir su nombre, creo que tiene miedo de que me levante y me vaya. Pero es lunes. Quizás le preocupa que monte una escena, aunque sea solo para los camareros–. Él va a ser candidato.

En algún lugar del mundo, en este momento, nace un niño. En este preciso instante, mientras ella pronuncia esta frase, un manto de algas cubre la costa de Irlanda y una res es sacrificada, justo en este momento. Puedo oler la grasa, la vérnix caseosa que protege al bebé, puedo sentir la sal agrietando la pulpa carnosa de las algas, puedo oler la sangre caliente que fluye del animal.

–Creo que ahora sí que voy a beber –logro contestar, y ella hace un gesto y pide una copa que llena ella misma.

–Es por eso que te he pedido que vengas. –Inspira, como quien tiene que realizar un trámite engorroso con el que no contaba. Sacarse el barro del zapato, borrar una mancha de aceite del puño de una camisa–. Tienes que dejar de decir las cosas que vas diciendo por ahí. Ya sabes a lo que me refiero. Nos pueden hacer mucho daño. Lo vuestro, además, es una cuestión privada, ya acabó, a nadie le importa.

Se hace un silencio incómodo, más incómodo si cabe.

–Sabemos que le has seguido.

–Solo una vez.

Me mira con la misma tranquilidad con la que ha comenzado a hablar. Su tono no ha variado en todo este rato. Será una buena secretaria de organización, sin duda.

–No es verdad –sonríe–. No pasa nada. Aquí somos dos mujeres, no tienes que explicarte. Ya está. Pero tienes que dejar de hacerlo. –Hace una pausa–. Y tienes que dejar de decir las cosas que vas diciendo por ahí.

–Yo no he dicho nada.

–Bueno, eso no es exactamente así. Llamaste a... –consulta sus notas en un cuaderno sencillo que hace las veces de agenda, que no había visto sobre la mesa– Mónica, de la comisión de feminismos, para hablarle de tu caso. No entendemos muy bien por qué. Lo vuestro es una cuestión privada.

–Sí, eso ya lo has dicho dos veces.

Las dos nos miramos, en silencio.

–Mira, nosotros no queremos meternos en asuntos de pareja. Pero esto es por tu bien.

–¿Por mi bien? –río.

Por primera vez veo cómo le cambia el gesto. Su mirada se endurece. Pide al camarero que retire los platos y acerca su rostro al mío.

–De acuerdo, te voy a conceder que es un trepa, y probablemente un hijo de puta también. Pero es un hijo de puta listo y ha llegado hasta arriba muy rápido. Qué te voy a contar, a mí me lo han colocado en las listas. Tengo las manos atadas. Sé que tienes mensajes suyos que nos joderían vivos a todos antes de las municipales y quiero que desaparezcan o, si los cálculos de las encuestas aciertan y ganamos, haré que no vuelvas a trabajar ni en el ayuntamiento ni en ninguna empresa privada en los próximos cuatro años, ocho, si no la cagamos demasiado y nos hacemos con las autonómicas. ¿Eso lo has entendido? ¿O necesitas un croquis?

Siento que algo se astilla dentro de mí, no sé, algo diminuto cerca de la sien. No recuerdo nuestra vida, ni tu cara, ni siquiera tu nombre cuando hago la siguiente pregunta, ya sin aire, ya sin esfuerzo.

–¿Y qué propones?

Sonríe. Desde la ventana puedo ver cómo crece el romero, aquí, justo en la ladera de Montjuïc. La montaña de Montjuïc es especialmente rica en especies vegetales, tanto autóctonas –pino piñonero, algarrobo, encina...– como exóticas –jacarandá, chumbera, pita...–. También hay algunos árboles caducifolios, como el ceibo de Jujuy, usado en jardinería urbana por su sombra y flores espectaculares, y la higuera, muy rústica y resistente.

Finalmente dice una cifra. Unas motas de polvo quedan suspendidas en el aire, atravesadas por la luz dorada de la primera hora de la tarde.

–El doble y me voy de la ciudad esta misma semana –contesto.

XVII. DEBORAH, MARGARET Y EL AGUA

Me llegó la noticia cuando despuntaba el alba. La habían encontrado vestida con un camisón blanquecino, casi transparente por el efecto del agua, en la orilla del dique que había construido Samuel Robson. Estaba empapada y su marido y los demás tuvieron que llevar una gran cantidad de mantas para hacerla entrar en calor. Ella se negaba a irse, no hubo manera, ni entre tres hombres pudieron sacarla de allí. Al principio nadie entendía qué murmuraba. Era Margaret Johnsom, la mujer de Isaac, que nunca había aparecido por nuestros sermones cuando aún eran nuestros, de las mujeres, pero a la que sí veíamos en la iglesia todos los domingos, como al resto de la comunidad.

Los Johnsom parecían felices, de hecho lo eran. Nos cruzábamos por las calles del pueblo, iban siempre juntos, ellos y sus cinco hijos como cinco patitos siguiendo a sus progenitores orgullosos. Su vínculo había sido desde el amor, creo que Margaret insistió en eso cuando llegaron las autoridades, su cuerpo no presentaba signos de violencia. Margaret no había ido hasta el río huyendo de su marido.

Isaac Johnsom había abrazado a su mujer, a pesar de todo, en plena noche, intentando ofrecerle consuelo por lo que acababa de hacer. Creo que entendía que pronto se la iban a llevar los alguaciles y querría ofrecerle un último abrazo. Pensé en ellos cuando me llegó la noticia. Un lecho caliente y compartido, aquel feroz deseo que yo había sentido tantos años atrás, finalmente colmado y convertido en otra cosa, algo más plácido, cálido y duradero. Después, poco después, alguien me contó que su relación había sido siempre así, apacible, como el discurrir de las estaciones, que nada podía anticipar lo que había hecho Margaret. «Una mujer piadosa poseída por el diablo», dijo alguien, y sentí una punzada en el costado. Recordé a Margaret en las misas, atenta y reservada, una mujer entregada a su marido y a tus ordenanzas, Señor, una mujer normal, no una fanática. Margaret preparaba la comida, hacía las labores de la casa, pero no estaba particularmente agotada o nerviosa. Era tímida, eso sí, algo reservada, pero nada fuera de lo común en una mujer sosegada y casera como ella. Por eso me resultaba tan difícil aceptar esa interpretación. Margaret no acudía a reuniones sospechosas de herejía, era simplemente una mujer normal y corriente del pueblo. ¿Margaret tentada por el diablo? Habría tenido más sentido que se apareciera un bisonte en medio de la misa dominical.

Aun así, cuando la encontraron, en medio de la noche, Margaret era otra, sus largos cabellos enredados y oscuros como las algas verdosas que deposita el agua en la orilla, expulsándolas, como madejas pesadas e inútiles. Margaret hablaba sola, le temblaban las manos y susurraba versículos sobre la tierra de Moriah, la tierra de Moriah. Lo más sencillo era entenderlo como una posesión diabólica.

Que Margaret hubiera ahogado en el río a Nora, su hija pequeña, estremeció a toda la comunidad. Su cuerpecito estaba junto a ella, no lo escondió. Isaac Johnsom abrazaba a su mujer y el pueblo no podía comprenderlo. La pescadera me lo dijo al día siguiente en el almacén, en voz apenas audible. «No la despreció, no renegó de ella, solo la abrazó, ofreciéndole consuelo.»

Aquella historia prendió como el fuego en un pueblo estupefacto ante lo horrible del crimen y la reacción del marido, y se convirtió en una piedra demasiado grande en el camino de muchos, demasiado incómoda para obviarla. Sobre todo cuando llegó el juicio y vimos a los Johnsom, más serenos que nunca, más en paz consigo mismos de lo que jamás vi a nadie. Margaret Johnsom, tras unos meses en prisión, apenas había desmejorado y no había perdido el apetito ni las ganas de vivir, y fue al ser cuestionada por el asesinato de su hija Nora cuando explicó sus razones: «No podía seguir viviendo con la incertidumbre de que mis acciones pudieran representar tanto mi salvación como mi condena. Quería saber la verdad, y saberla cuanto antes.» No le hizo falta decir mucho más. Margaret había ahogado a su hija para tener la certeza de que iba a ir al infierno. Su marido asentía, tranquilo, tomándola de la mano en cuanto el guarda lo permitía. Miré su rostro, que tantas veces había visto por la calle, y, a diferencia de otros, no tuve miedo de ella. Ni siquiera tuve miedo por lo que fueran a hacerle. Vi en su rostro la calma, esa sed finalmente aplacada. Margaret era ya una mujer que no te temía, Dios mío, sino que te hacía una ofrenda. Una mujer que, ante la exigencia constante de un camino recto, no se había desviado ni un ápice de su amor por su marido o tu palabra. Solo había querido dejar de hacerse preguntas.

Nadie volvió a hablar de ella cuando se resolvió el juicio y fue condenada a muerte. Ni siquiera Anne y Cotton. El ejemplo de Margaret no le servía a nadie, era un escollo para predicar tu palabra y nuestra posibilidad de salvación. Anne no la mencionó ni una sola vez en sus multitudinarios sermones, cada vez más enfervorizada, y por tanto cada vez más segura de sus actos, bajo la atenta mirada de Cotton. Ahí sí acató las leyes de la comunidad, como hacía el resto. Margaret se convirtió en un error indecible, el resultado de una mezcla ingrata de carne y sangre, una prueba más que nos ponías para seguir adelante sin salirnos de la línea marcada. Pero a Margaret, sí, Margaret con su camisón grisáceo por el agua sucia, Margaret en esa orilla, hoy la narro porque no importa lo que hicieran después con ella, es necesario no olvidar que Margaret existió, sí, Margaret existió porque yo la recuerdo.

18. PLAZA DE LA VIRREINA (ANTES)

Por supuesto, mientras hago la maleta para huir, pasan cosas. Algunas cosas siempre pasan.

Por ejemplo una mujer de pelo rubio y largo que no llega a los treinta años, ¿una chica, debería decir?, con camiseta de tirantes y vaqueros ajustados baila de espaldas a ti en un concierto. La cámara gira en un ángulo inadecuado pretendiendo abarcar todo el concierto de un tío con patillas y guitarra que me suena de algo, debo de haberle visto antes en algún concierto, cuando todavía salía, antes de conocerte. Es uno que dice obviedades entre canción y canción, pero las dice con la autoridad con la que un hombre de nuestra generación subido a un escenario las puede decir, con gravedad y sintiéndose especial, con una autoridad del trescientos por ciento, una autoridad de la hostia, una autoridad prémium.

Sentada sobre mi maleta, en esta última noche, sigo el vaivén de la cámara, la muy estúpida, que pertenece a la estúpida muñeca de uno de nuestros amigos, que ha grabado el vídeo que estoy viendo y que alguien ha publicado en Instagram, así que le doy al icono con el pulgar una y otra vez para repetir el vídeo y así poder captar de manera precisa toda la acción. La escena es difícil de analizar por el empecinamiento del dueño del móvil en captar el concierto y el público en vez de a ti, por lo que la toma es básicamente un giro de ciento ochenta grados sobre sí mismo, pero consigue lo necesario: está otro amigo común, sí, nuestro amigo, al que ya no veo porque no es verdad que los amigos se compartan, te los quedaste tú. Su pelo corto negro, su risa bovina y excitada, tapa la imagen que busco durante un segundo. Tiene la frente perlada de sudor y los incisivos en una mueca de felicidad destinada a demostrar precisamente eso, felicidad. Recuerdo, por qué no, algunos momentos de todos juntos en conciertos parecidos. Es arquitecto en paro. Ahora estudia terapia Gestalt. Tiene un novio que es entrenador de perros en Vallvidrera. Tienen una amplísima colección de discos. Les recuerdo, de repente, como si todo volviera en una oleada salada, en los conciertos a los que solíamos ir. Siento el sabor exacto de la cerveza del Sidecar. Los chupitos. Él invitaba siempre. Siempre tenía la necesidad imperiosa de pasárselo mejor que nadie, de demostrar que lo que estábamos viviendo lo vivía más que ninguno, una energía que ocultaba un cerebro vacío, liso y limpio, parecido al interior de un tupperware.

La cámara le deja de lado, a él y a su novio, y se posa en un grupo que está justo delante. Veo las luces naranjas de la noche que le dan una tonalidad casi fosforescente a la iglesia del fondo, la que hay detrás del concierto. La plaza de la Virreina, claro. Por la disposición de los cuerpos es evidente que han acudido todos juntos al bolo. Como en un banco de peces, avanzan y retroceden, se mueven al compás de una música que no escucho. Son las fiestas de Gràcia, intuyo por la fecha. Fiestas de Gràcia quiere decir mojitos, pies salpicados de agua sucia y vasos de plástico, la calle Astúries atestada de gente haciendo cola para comprar alcohol en los badulaques, quizás más tarde pasaréis por los escenarios de las fiestas alternativas, una caña en una bodega cúpster. Así llamábamos a veces, en broma, a los hípsters votantes de la CUP del barrio de Gràcia, ¿te acuerdas?, aunque estoy convencida de que esta vez te quedarás fuera, porque no eres tonto, tú sabes que es mejor que ya no te vean en según qué tipo de bares. Le vuelvo a dar a la imagen, adelante y atrás, con los pulgares. Tú bailas dejándote hacer, tienes la cara feliz, y la chica de pelo rubio larguísimo, camiseta de tirantes y sujetador blanco a la que no reconozco sonríe de espaldas a ti, sin mirarte, mientras te pone las caderas a la altura de la bragueta, en un movimiento íntimo, alegre, despreocupado y feliz. Comprendo. Desde el interior de mi habitación realquilada en mi última noche aquí miro a través del cristal y no siento el calor que hace fuera. Tirito. Siento frío. No voy a las fiestas de verano. Miro el discurrir de los aviones que surcan el cielo y te imagino subiendo a uno de ellos con la chica rubia rozagante, me la imagino a ella con faldas cortas y sandalias, sobrevolando por encima de mi habitación, y surcando el cielo de esta ventana acristalada en este verano que no termina. Desde aquí resigo las luces intermitentes de esos aviones y miro cada punto, cada avión, con atención. Sé que en ese punto a kilómetros de distancia, en medio del aire, hay unas ventanitas desde las que gente que tiene una vida, que va a algún sitio, mira a su vez. Sé que en esas ventanitas el vapor se condensa sin pasar por el estado líquido, de vapor pasa a hielo, y ese proceso se llama sublimación. Toco con la mano la ventana y mi cristal y su cristal se imantan, se unen por el deseo de una vida mejor. De repente pienso en la posibilidad de un fallo mecánico que cambie bruscamente la trayectoria de uno de los ciento veinte aviones que despegan al día en Barcelona y lo haga caer en picado justo en el centro de la ciudad. Si cayera un avión, se desencadenaría inmediatamente un racimo de tragedias brutales, un cúmulo de vidas destrozadas, algo que parece imposible, algo que desafía a este azul casi negro del cielo enorme y brillante. Esa imagen obsesiva del avión cayendo se empieza a presentar ante mí en esta noche de verano y se repetirá a plena luz del día, con el cielo añil, espléndido, varias veces al día. Desde entonces, cuanta más luz hay, más ansío que caiga, y recuerdo que una vez tú y yo fuimos juntos en avión y cuando despegaba me agarraste de la mano para que dejara de temblar pero me di cuenta de que tú también sufrías.

XVIII. DEBORAH Y SUSANNA

Los presagios no eran buenos. Un cuervo negro se había acostumbrado a posarse en el alféizar de mi ventana y cuando me despertaba con dolor de huesos podía sentir su presencia, mirándome. O quizás era otra cosa, otro signo, fuera lo que fuera, Padre mío, hacía días que sentía que algo me observaba, que no estaba sola en mi casa.

No me pasaba únicamente cuando estaba en casa. Las vecinas murmuraban por las calles, y cuando me acercaba a saludar, dejaban inmediatamente de hablar. Algo se estaba gestando y yo no formaba parte. Sí, Padre mío, quedé apartada. Desde que Anne y Cotton predicaban la palabra a todos los fieles que quisieran escucharles, yo había vuelto a ser una simple comerciante. Ya no más la complicidad de nuestro proyecto, se acabó toda aquella planificación, así que solo me quedaba la vejez. Tener un plan te mantiene viva, te da algo parecido al placer en la boca del estómago. Cuando hacíamos planes con Anne yo sentía aquellas ganas de vivir, de que nuestra compañía fuera eterna. Pero ¿ahora? Sin la perspectiva de una tierra nueva que soñar juntas, para construir nuestra sociedad aparte de todos, me había hecho vieja de golpe.

Sí, ríete, parecerá una frivolidad, no lo niego. Pero de un día para otro empecé a notar la sequedad de mis manos y sus manchas, las rodillas arrugadas, yo, que había tenido unas rodillas suaves y blancas como el mármol, que mi marido alababa y besaba en aquellos primeros meses en los que todavía nos llevábamos bien. De repente, el peso de mi cuerpo era demasiada carga para mí, mis cabellos parecían hebras de escoba, tenía los ojos enrojecidos, sentía que quizás alguien me había mandado una maldición, quién era esa anciana del espejo, no podía ser yo, qué había sido de mí. Lo peor de todo era sentir que ya no tenía futuro, pues era solamente una vieja. Cada vez más rica, eso sí, pero una vieja.

Me despertaba de madrugada con la mirada negra del cuervo y preparaba al fuego un té muy caliente con mermelada de manzana, a veces solo esa extravagancia me consolaba, eso y saber que todavía tenía la mente lúcida, que no se me había ido la cabeza aún. Hubiera sido intolerable sentir que venía la locura en esos momentos tan tristes, solo me faltaba eso, el reverendo o el gobernador diciendo que el diablo se había apoderado de mí, y que me arrebataran las tierras que había comprado, por fin, tras todo mi sacrificio, durante todo ese tiempo.

En una de esas madrugadas sentí que alguien llamaba a mi puerta, persistentemente, con fuerza. Quizás es el cuervo, fue lo primero que pensé. Y entonces, consciente de que era imposible, me pregunté si no me estaría volviendo loca de verdad. Fue al abrir y ver a Anne, despeinada, con la cofia mal colocada y unas ojeras enormes, cuando volví en mí y actué automáticamente, como había hecho en el pasado: la hice pasar y se sentó frente a mí en la mesa de madera donde nos habíamos sentado tantas veces a hablar.

Rechazó una bebida caliente y me miró directamente a

los ojos. Anne nerviosa como no la había visto antes, no fuera de sí, simplemente cansada y tensa como un alambre.

–Necesito un favor –me dijo–. Ya sé que hace mucho que no hablamos, sé que has decidido mantenerte al margen, pero eres la única persona en la que puedo confiar para esto. Tienes tus razones para no venir a los sermones, no es que las comparta, pero es lo que has decidido y debo respetarlo –sonrió levemente.

–Sabes por qué no voy, Anne.

Ella me interrumpió:

–No te he traicionado, jamás lo hice. Simplemente no quieres aceptar que la lucha es más amplia, que debemos continuar, cueste lo que cueste... –Su voz se elevaba cada vez más, hasta que le hice un gesto para que parara.

–No hace falta.

Anne volvió a sonreír.

Nos miramos hasta que su sonrisa me bañó por completo. Anne, mi Anne querida. Si pudiera volver solamente un instante a algún momento de mi vida, sería ese. La posibilidad de recuperar esa dicha me revivió y me dio aire. Pero apenas duró un segundo.

Fue entonces cuando me percaté de que Anne no venía sola. A medida que el alba aclaraba la habitación, vi que escondida entre sus faldas estaba su hija Susanna, la pequeña Susanna, con su pelo del color del coral.

–Quiero que cuides de Susanna un tiempo. Ya sé que me dirás que estaría mejor con una familia, pero no lo creo. Susanna necesita a alguien que la guíe, que le enseñe las cosas importantes que no aprenderá en la escuela, y yo no tengo tiempo para nada. Estoy a punto de parir y no tengo tiempo.

Su voz se quebró. No se trataba de una flaqueza por la separación de su hija pequeña, sino simplemente de agotamiento acumulado. Anne tenía a esas alturas doce hijos más, otro en camino y una misión demasiado importante. Y la paradoja que nos planteaste a todas, como un verdadero escollo, como una broma pesada: ¿cómo habíamos dejado que nuestra líder se convirtiera en una más de las fieles que necesitaban precisamente de su ayuda? En ese momento nada hubiera consolado a Anne más que otra voz que le diera aliento, su propia voz, pero que viniese de otra.

–Anne, tienes que descansar, prométeme que descansarás.

Pero ¿le bastaba con la mía, Dios? ¿Era yo suficiente para Anne, volvería a serlo algún día?

Sus hombros, que se habían hundido brevemente, se irguieron de nuevo.

–No te preocupes por mí. –Y mirando a un punto fijo, más allá de mí, añadió–: Podremos hacerlo, debemos hacerlo. Ya estoy bien, no pasa nada. Hablar contigo me ha quitado un peso de encima. O quizás sea Dios, que me guía.

Ambas sonreímos. Y aun así la desazón. Y aun así sintiéndola tan lejana.

–Ven, Susanna –ordenó Anne con voz tranquila y firme, la voz de madre a la que podía acudir cuando era necesario–. Te vas a quedar con la señora Deborah unos días, y cuando pueda vendré a verte, ¿sí?

Susanna, con sus ojos enormes y limpios, asintió. Y yo abrí los brazos y volví a sentir de repente ese olor a calidez y sudor infantil, de hojas de limón frescas, de vida suave por estrenar. Cuando abrí los ojos otra vez, Anne ya había desaparecido, cerrando la puerta tras de sí.

19. PASEO DE LA CASTELLANA, 11 (AHORA)

Así llegamos hasta aquí, hasta ahora. Con el dinero salí de la ciudad, rápido, rápido, antes de morir, antes de matarme. Todo esto sucedió antes de este momento. Ahora, en este momento, en este preciso instante, una tórtola oscura se estampa contra el metacrilato de la ventana del edificio donde vivo. Suele suceder, sobre todo al caer la tarde, en esta pecera en medio de una gran avenida. Cada vez hay menos gente que les dé de comer a los pájaros en la calle. Cuando anochece apenas hay luces en el interior de los edificios, porque esta zona está llena de oficinas. Cada vez oscurece más temprano, lo cual me indica que hemos dejado atrás el verano hace tiempo y nos adentramos, por fin, en el invierno. La luz de mi apartamento atrae a los pájaros como si se tratara de polillas, se acercan buscando calor instintivamente. Además, los cristales se mantienen tan limpios que no los distinguen y se lanzan sin reparos, como kamikazes. Esto sucede más veces de las que el portero puede contabilizar, pero aun así cuelga notificaciones en los ascensores para que las vean los gestores de las empresas que ocupan el resto de las plantas y los únicos dos vecinos que vivimos en esta caja de cristal. Cada dos o tres días unos trabajadores se cuelgan con poleas desde la azotea para limpiar la sangre y los restos. A veces los pájaros se estampan también de madrugada. Tuc. Un gorrión. TUC. Una paloma. Por el golpe aprendes a distinguirlos.

Toco el cristal ensangrentado mientras el cielo se oscurece. Mi mano no se mancha, claro, la sangre está del otro lado de esta cámara sellada. Mi mano está limpia. Vuelvo a mirar este cielo añil que no es mío, este cielo sin bruma, sin sal, en el que nada se mueve. Siento el frío a mi alrededor, este que me aturde hace meses, y desde aquí, mientras miro los coches que circulan, poco a poco, vuelvo a mi letanía. Que es esta:

La novia de mi amor tiene los ojos como los de un conejo blanco: rojizos, pequeños y un poco saltones. Ya la he estudiado lo suficiente por las redes. La novia de mi amor es todo lo que no soy: flaca, nerviosa, con largos brazos de mármol y una cabellera rubia de cuento infantil, del color de un yogur de limón. A veces pienso en su pubis, debe de ser suave y delicado como una pelusa. Pienso en él entrando en ella, lentamente, o en ella trepando sobre él y moviendo unas caderas estrechas y jóvenes, cabalgándole hasta que se corre.

No conozco a la novia de mi amor, pero pienso mucho en ella. He oído su voz a través de la pantalla de mi ordenador porque a veces aparece a su lado en las entrevistas. Se conocieron en el partido, su trabajo es algo técnico, no especialmente interesante, pero es ella, todo su ser, quien me conmueve. Explica tímidamente y con algo de dificultad cómo le acompaña en su nuevo cargo, asumiendo su rol secundario. No tiene el don de la palabra, y esa torpeza es aún más conmovedora para mí, la acunaría con mis propias manos, como a un pequeño y suave animalillo. Él, a su lado, la anima a hablar, y yo le contemplo y distingo su mirada

181

limpia, y su instinto de protección tan evidente. Miro a ese hombre renovado, ese hombre bien afeitado y coherente que convence a todos con frases claras y contundentes, y comprendo perfectamente lo que sucede. La novia de mi amor tiene la capacidad de ser amada, y recibe todo ese amor como un baño cálido, dando las gracias con los ojos y la boca, como solo la juventud, el nuevo amor esperanzado, puede hacerlo. La esperanza es un parásito muy potente, devora cualquier duda, la destroza con dientes pequeñitos, la hace añicos y la pulveriza hasta que no queda absolutamente nada. Ellos tienen esperanza y un futuro nuevo, y por eso sé que la novia de mi amor no se quejará ni cuestionará nada porque ella siente merecer todo lo que tiene, todo lo que la rodea. No solo lo siente. Ella sabe que lo merece.

Atrapada en mi caja de cristal, con la sangre de la enésima tórtola aún fresca, algo en la bruma de mi cabeza comienza a aclararse. Ella sabe que lo merece, a diferencia de mí. Yo nunca creí que fuera digna de ti, ¿recuerdas? Yo era cobarde. Y te preguntaba una y otra vez, insaciable: ¿me quieres?, ¿me quieres? Y tú respondías: sí, sí, amor, sí, y yo sabía que no era cierto, que mis miedos eran atroces, que tú no podías entender nada de eso. No sabes lo que es ser débil y cobarde. Apenas un esqueleto calcificado.

La novia de mi amor es, en definitiva, lo contrario a mí: soy rencorosa y demente. Esto me repito de noche y de día, esto soy yo en este cubo de cristal, este experimento deforme. Miradme bien.

XIX. DEBORAH, SUSANNA Y LOS ÁRBOLES

Decir que Susanna me salvó la vida puede sonar manido, pero lo sabes, así fue: me salvó la vida. Nos llevó unos días adaptarnos la una a la otra, porque no era una niña fácil y callada, como había sido Henry, sino más bien inquieta. Al principio le costaba dormir por las noches, y cuando lo hacía, se despertaba gritando el nombre de su madre. Aun así, pronto vi que tenía un alma buena y alegre, y cada mañana me obligaba a ciertas rutinas que, después de tanto tiempo, yo tenía ya olvidados. Me acostumbré a levantarnos juntas, a preparar su desayuno, a lavarla y llevarla a la escuela, todo eso se convirtió en mi nueva sabia, algo que recorría mis venas de nuevo y que me hacía olvidar mi propio rostro y todo mi pasado. Su juventud era de nuevo una esperanza para mí, un lienzo en blanco que llenar, una razón para seguir.

Después de dejarla en la escuela volvía a una casa en paz, silenciosa, y hacía mis tareas de manera rápida y ordenada, con calma: ir al mercado, administrar las inversiones que había hecho a corto plazo —a mi edad, ya no había otro—, repasar las cuentas. Todo se resolvía en unas pocas horas de la mañana, antes de poner algo al fuego para calentar el estómago. Susanna me había dado un orden y unas palabras, un propósito.

A primera hora de la tarde, cuando veía su pequeño cuerpecito avanzando por el camino, sentía la tranquilidad y la alegría de su compañía, la miraba caminando cuesta arriba, sola, con su cabeza de fresa primero un pequeño punto, después del tamaño de una uña, cada vez más grande, cada vez más real, hasta que llegaba a la puerta. Y a su llegada atropellada siempre me pedía lo mismo, a gritos: Deborah, enséñame las tierras. Y yo la complacía, porque sabía que había sido una niña pequeña y débil, de brazos y piernas frágiles como ramitas, y que necesitaba alegrías y correr por el campo. Así que nos íbamos a caminar por la finca, y ella preguntaba, cada tarde:

—¿Estos son los manzanos?

—Sí, Susanna, esto son manzanos. Sus hojas son brillantes y lustrosas, y las flores rosadas, en medio con un rosa más fuerte. Acuérdate, así sabrás distinguirlas.

—¿Y los nogales? ¿De qué color son las flores?

—La flor del nogal no tiene color, tontina. Son aquellos de allí atrás, con los pistilos verdes.

—¡Que parecen dedos! —gritaba, y los ojos se le hacían grandes y se echaba a reír.

Parecen dedos, sí, respondía yo, y ella seguía su ritual de preguntas sobre frutas y flores, y sobre los animales que recorrían nuestra finca por la noche. Al principio le aterraban los sonidos del campo, pero pronto comenzó a calmarle mi seguridad sobre la tierra, que era mía y ahora suya también. Ni los zorros ni los jabalíes podrían hacerle daño si se agarraba a mi mano, su pequeña mano dentro de la mía, y caminábamos hasta que yo le decía: Susanna, es hora de que comas algo, y emprendíamos el retorno a casa, y le daba de merendar una rebanada grande de pan caliente con

184

mantequilla y miel, y ella me miraba con sus ojos curiosos y alzaba las cejas y miraba la botella de vino, y si era domingo yo le decía: bueno, pero solo una, y le echaba un poco de vino con miel a su vaso, y me llenaba mi copa, y cuando Susanna se lo tomaba se le encendían las mejillas, y eran del color de su pelo, y las dos nos reíamos, «el vino fortalece la sangre», le explicaba yo, y ella asentía, sintiendo el mismo calor que yo en las mejillas y el pecho, y nos reíamos y nos reíamos, hasta que le decía: basta, Susanna, que nos oirá el reverendo Peter y va a pensar que nos hemos vuelto locas, pero Susanna se reía más fuerte, entusiasmada, incapaz de parar, hasta que la habitación le daba vueltas y yo la cargaba sobre mi hombro y la acostaba en la cama para que descansara un rato.

Al principio, cuando se despertaba y ya estaba oscuro, sé que Susanna sentía una desazón muy dentro de sí, porque se acordaba de su madre, y a veces la oía llorar, pero aquello terminó pronto. En unos días Susanna ya se despertaba contenta y preparábamos juntas la cena, y me contaba lo que había aprendido en la escuela, lecturas de la Biblia y poco más, así que yo le enseñaba las letras y los números, siempre a última hora, para que se le fijaran bien y soñara con ellos. Las propiedades de las plantas las aprendíamos durante los paseos que dábamos todas las tardes, y las de las estrellas las noches sin luna, para que nadie nos molestara. Su madre y yo sabíamos lo que era una buena educación y a mí se me había encomendado dársela, y eso iba a hacer, no me importaba nada más. Su madre, que ya no aparecía y nos había dejado tras su partida ese remanso de paz.

Fue en una de esas tardes, paseando entre los árboles frutales, cuando apareció el reverendo Peter con semblante sombrío y me dijo: «Deborah Moody, tenemos que hablar.» Y yo supe inmediatamente que había llegado la hora, que algo muy grave había pasado, por supuesto aquel cuervo en la ventana no era una casualidad, ¿verdad, Señor?, ahora llegaba la hora y sentí todo el gusto a salitre y a tierra arenosa que siento ahora, justo en ese momento, y apreté la mano de Susanna y le dije que fuera hacia casa, que yo no tardaría.

20. PASEO DE LA CASTELLANA, 11 (AHORA)

En duermevela. Me gustaban las calles de Barcelona, pienso ahora. Me gustaban las calles estrechas de Barcelona porque podían contenerme. Una calle pequeña, que huele a sardinas y podredumbre, piedra caliza horadada, lagos de pis y hebras de tabaco mojadas, latas de cerveza, restos de kebab sin digerir.

Mis recuerdos son de mármol: el mármol gris del mercado de l'Abaceria, las migas de bacalao. Caminaba ciudad abajo desde el mercado hasta el barrio chino, me sentaba a esperar a que llegaras en un bar que me parecía *auténtico,* el mármol del bar Almirall, una barra espléndida, curva, suave al tacto. El mármol antiguo me daba sensación de continuidad. El mármol antiguo y no todas esas vermuterías hípsters. En mi cabeza revisito los espacios de mis antiguos amores. Bar del Centre, Almirall, Canigó, Sant Agustí. Por el cementerio de mis mármoles me siento viva, turista de mi propia dulzura. Aquellos amores idiotas que no salvé, sino que los hice embalsamar como esas viejas locas que embalsaman a sus perritos de aguas y dicen: «*mira que maco el Terry, que tranquil*», cuando en realidad le han quitado los colmillos y el alma a la bestia. Así cualquiera, amiga, así cualquiera.

Si he estado todo este tiempo en una pecera de cristal y no me han descubierto, en las calles estrechas de Barcelona podré perderme. Todavía no sé cuál es el plan, pero no tardará en llegar a mí. Lo siento. Lo sé.

Un día como cualquier otro me doy cuenta de que es primavera en Madrid. El cielo es añil, frío, y se llena de polen de gramíneas y olivo, mientras los oficinistas fuman y toman sus cafés con leche de pie frente a la puerta. Por sus gestos, desde mi ventana me fijo en que hablan más fuerte de lo habitual, discuten, los hombres alternan el peso de sus cuerpos de un pie a otro, para no cansarse, y siguen discutiendo, alargan la pausa del café más allá de lo habitual. Decido bajar a la calle para dar un paseo que me espabile, que me despierte un poco. En la entrada del edificio, procuro evitar el humo de sus cigarrillos justo cuando oigo a uno de ellos decir que hay una nueva alcaldesa, una jueza, tío, una jueza. No me cabe duda entonces de que tú también has ganado las elecciones.

Esa misma noche sueño que vuelvo. Atrás, tan atrás, mis manos pálidas, las venas llenas de agua helada, mis manos infantiles son otras, pero son las mismas: sueño que el amor no me salva y que no importa. Sueño con todas las calles, como cada noche, hasta un lugar que aparece a veces en mis sueños, más allá de Vallcarca, donde las casas son blancas y los balcones tienen geranios. Alguien me espera, noto que me agarra de la mano y me lleva hasta una zona de tierra salada, allí traza una cruz en el suelo.

Y me olvido de ella, de tu amor actual, con su cara redonda y estúpida. Ojos redondos, boca redonda. Olvido que ella sonríe y te dice mi amor, amor mío, te dice, lo olvido, porque una mano sostiene la mía y me acompaña, y olvido su pelo rubio, y sus ojos redondos como canicas rojas, y pienso que me has perdonado y pienso que quizás sea lo correcto, volver a ti, volver a quererte y que esté ella, ser tres y uno, y el agua salada me llena la boca y nos enreda el pelo y tú me quieres, pero la mano tira de mí hacia las casas blancas y los geranios y una voz de mujer que no conozco dice: no te odia pero no te quiere, ¿es eso lo que quieres comprobar? Haz lo que tengas que hacer. Demuestra de qué eres capaz. Si lo haces, además, nunca te querrá.

Cuando me despierto las palabras retumban en mis oídos. No me quieres. Así que puedo hacer lo que quiera. No me quieres y soy libre. No me quieres y nada de lo que haga cambiará eso. Y entonces, justo en ese momento en que recuerdo el sueño y la imagen del puente de Vallcarca, se me revela exactamente el plan, lo que tengo que hacer. Puedo volver. Es más: tengo que volver.

XX. DEBORAH: EL ANIMAL SE QUEDA QUIETO Y LUEGO HUYE

Sabemos que después de un golpe la carne se torna primero rojiza, luego morada y más adelante va adquiriendo los tonos verdes y amarillentos que anuncian que la herida se desvanece. Un golpe es un instante, sí, pero el dolor es un proceso.

Peter supo asestar el golpe muy rápidamente, algo que le agradecí. Apenas cuatro palabras y un crujido de hojas secas a nuestros pies entre la escarcha invernal. No recuerdo mucho. Solo su ademán práctico mientras caminábamos por mis tierras y unas palabras dichas con la prisa de quien sabe que algo se está rompiendo.

Iban a arrestar a Anne por herejía. Crac. Había desobedecido las leyes de la colonia, poniéndonos a todos en peligro, abriendo una bifurcación a su enseñanza de las Escrituras. Crac. Quizás en un principio tenía buenas intenciones, pero no cabía duda de que había puesto el punto de mira en un hueco demasiado peligroso y podía hacer tambalear toda nuestra estructura: la relación entre gracia y fe, esa hendidura, esa ranura humedecida y ampliada por Anne, era ahora una presa a punto de reventar, un torrente inabarcable. Si Anne estaba, como parecía, hablando de la intuición del espíritu como única relación con Dios, eso significaba su final, Deborah, eso debía serlo. Crac-crac-crac. El golpe en la carne es súbito, no avisa. Por eso los animales quedan paralizados en el bosque: temen la inminencia de otro golpe. El animal se paraliza y luego espera para huir. Peter había hablado y yo no debía moverme, porque sabía que algo se había puesto en marcha, y la tierra y el cielo eran apenas una espiral de materia que se cernía sobre mí y solo estábamos mi respiración y yo, mientras esperaba a que Peter quebrara el hielo como se quiebran los huesos de los pajarillos muertos, de un solo golpe y sin titubear.

–Dicen que el último hijo de Hutchinson es hijo de Satán –susurró–, ¿tú lo sabías?

Debí de mirar hacia la casa, donde estaría Susanna, y negué con la cabeza débilmente.

–No, la niña no –dijo él–. El que vino después, que nació deforme. Quizás sea por las compañías que frecuenta. Dicen que ella y Cotton se conocen desde mucho antes de llegar aquí. Quizás sea él quien haya introducido ideas en su cabeza, quién sabe.

Permanecí quieta.

–En cualquier caso, a ti no tiene por qué pasarte nada, Deborah, el problema fue cuando empezaron a llegar hombres a las reuniones, la congregación promiscua y sucia de hombres y mujeres sin relación de matrimonio. Aunque no he oído, ni pienso, que haya sido infiel a su esposo, pero no podemos saberlo. Qué tristeza, hay que aplacar la gran herida que ha hecho esa mujer contra las iglesias, el gran deshonor que ha hecho contra Jesucristo, y el mal que ha hecho a muchas almas.

Sé que el reverendo me miraba porque sentí su mirada sobre mí y el frío en mis mejillas, cuando añadió:

–No te preocupes, tú no debes temer nada, tu vida está

191

siendo recta, ¿verdad, Deborah?, a lo sumo te llamarán a declarar en el juicio.

–¿El juicio?

–Sí, comenzará en breve, pero tú no debes preocuparte. Lo que hayas dicho en las reuniones de mujeres no se usará contra ti, siempre que demuestres tu amor a Dios, como hasta ahora.

Crac.

El animal primero se queda quieto.

Pude mirarle a la cara entonces, al notar una rendija en su voz.

–Tus tierras, Deborah, son el fruto de tu trabajo y tu honestidad, ¿verdad?

–Sí, reverendo.

–Demuéstralo –dijo.

Entonces entendí que estaba sola, que tú no estabas allí, Dios mío, que solo me quedaba correr y correr hasta casa y preparar un carruaje para salir esa misma noche con lo puesto, porque tú no existes, porque nosotras hablamos solas y en realidad nadie nos salva.

El animal primero se queda quieto y luego huye.

21. CALLE PUIG D'OSSA (AHORA)

Desde donde estoy ahora la vista es excepcional. Nunca hubiera creído que pudiera ser tan fácil. Las golondrinas, la hiedra cubierta de polvo, el color cada vez más grisáceo y húmedo de las nubes, que indica que el verano se acaba.

Siempre he asociado las buganvillas con la zona alta. No hay buganvillas más abajo de la Bonanova, o al menos no en mi recuerdo. Buganvillas, glicinas, edificios con paredes exteriores pintadas y repintadas en color ocre o salmón, una y otra vez, para cubrir posibles imperfecciones. Uniformes de colegio a rayas, mujeres que se alzan firmemente sobre gruesos tacones, gemelos morenos y manicura semanal. Comercios de nombre francés, salones de té, clubs de bridge, talasoterapia y oxígeno refinado, más refinado si cabe. Y todo está en soledad, separado, muy separado. Entre una persona y otra hay al menos cuatro metros de distancia en este barrio. Menos es impensable. No sé por qué la gente se empeña en vivir en el centro de la ciudad, en las concentraciones urbanas, en juntarse, en compartir gérmenes, bacterias, enfermedades. Desear contacto es de locos. Meterse en la cama con un desconocido es ya una posible causa de muerte. El amor es una monstruosidad. El sexo pertenece al inframundo.

Ahora que ya soy quien soy no necesito paños calientes. Estos días también he comprobado que los ricos tienen mejores cosas simplemente porque a ellos les salen más baratas. Es así de sencillo.

Hablando de riqueza: no puedo dejar de pensar en el montón de dinero que tengo en una maleta bajo la cama. Me hace feliz. Con lo que he sacado tengo para vivir al menos diez años aquí, me basta y me sobra. La mujer que me ha alquilado las cuatro paredes, el suelo y el techo de esta primera planta, la señora Pilar, me cobra lo mínimo. Le caí bien. Creo que cuando le dije que era viuda como ella, sintió algo de pena por mí. No me molesta que pase a verme todos los días. Me gusta tener compañía. Una compañía distante, extrañamente fraternal, basada en códigos que comprendemos las dos. No necesitamos fingir cercanía, ni contarnos intimidades lloriqueantes. Ella pasa a tomar café cuando huele que estoy moliendo los granos y siempre trae algo. Un bizcocho de arándanos, unas galletas de canela. Nos sentamos a mirar la tarde, en silencio, o comentamos que ha llegado una bandada de estorninos, el color cambiante de las hojas. Sin duda, será un buen otoño.

La casa está situada más allá de la zona alta, donde deja de existir la ciudad y comienza el bosque. Ese extraño limbo en el que se alzan fundaciones científicas, colegios religiosos no católicos –anglicanos, adventistas– y construcciones claramente ilegales que surgieron durante el franquismo y que nadie se atreve ahora a derribar, en el barrio de la Mercè. Al fin y al cabo es Pedralbes, aunque una zona algo remota. Mi casera, la señora Pilar, vive en una casita blanca de dos plantas en una calle en la que llega el correo muy de vez en cuando y el autobús de barrio pasa varias veces al día y nunca se para.

Nadie me buscará aquí.

Por fin me he librado de todo el peso de mi cuerpo, que siento ligero, tranquilo, en paz. Es como si todas las células se hubieran regenerado. Ya no tengo que pensar en nada. Por supuesto ya no tomo nada, ni siquiera para dormir.

Sí, es un milagro.

Fue al llegar aquí, donde estoy ahora, cuando todo se calmó.

Como te dije, soy cobarde. Como te dije, esto es importante para esta historia. También tu casa es importante. La que era nuestra casa. Por supuesto no te molestaste en cambiar la cerradura, porque yo estaba deprimida pero no parecía la psicótica que realmente soy. Jamás pensaste que volvería sin tu consentimiento. Así sois los hombres: estáis convencidos de que la gente va a acatar las reglas simplemente porque vosotros las habéis dictado durante todo este tiempo, ¿verdad? Nos tratáis como a perros entrenados. Ni se os ocurre que los perros vayan a destrozar la ropa, mearse donde no toca y escapar, sí, escapar.

Las reglas, por supuesto. Las reglas. Hace mil años, cuando yo era otra y estaba contigo, me obligabas a acatar una sobre las redes sociales: no muestres exageradamente tu felicidad, podrías despertar la envidia de alguien. La recuerdo, martilleando en mi cabeza. No seas cutre, solías decirme. Es curioso, no era una regla que tú tuvieras que cumplir, ¿a que no? Tú has hecho siempre lo que te ha dado la gana. Y no te has estado portando bien últimamente, ¿verdad? Lo sabes. Un viaje a Grecia con tu amor no es portarse bien. Pero ahora tu vida está expuesta, para mí y para todos ahora vives en una caja de cristal, y es facilísimo seguirte el rastro. «Unos días de descanso», escribiste debajo de una foto con dos platos llenos de pulpo y un mar turquesa al fondo. «YTEIA.» Ahora me entra la risa. El amor es monstruoso y también ridículo. En ese momento supe que tenía que hacerlo entonces. Era entonces o nunca.

Me costó, pero finalmente entendí cómo sacar las cosas de su eje. Pensé mucho en nuestros escenarios, en lo que compartimos, en nuestras calles y nuestro pasado, y resultaba que estaba todo delante de mis narices. Bastaba con ejercer mi derecho al extractivismo. Extraer algo de este animal voraz que se ha llevado tanto, ¿sabes? Finalmente encontré la manera de sacarle dinero a esta ciudad. Yo también podía lograr mi acto político. Mi acto total. Y no era tan difícil.

De hecho, fue facilísimo. Decolorarte el pelo en casa es sencillo si sigues bien las instrucciones. El tono que quedó es algo parecido a un rubio pollo, pero era útil para mi propósito. Además, he trascendido la vanidad. La belleza ya no es uno de mis objetivos. También he trascendido mi cuerpo. Mallas grises, una gorra blanca con visera, el pelo en una coleta. Una maletita de ruedas. En nuestro antiguo barrio parecía exactamente lo que pretendía: una turista entrando en un edificio donde ha alquilado un apartamento por Airbnb. Pasé perfectamente desapercibida.

Lo recuerdo todo paso a paso. Lo había ensayado durante tantos meses, desde la primavera en la que me fue revelado hasta las vacaciones de verano, que el plan me parecía imbatible.

Te confieso que subí los tres pisos casi sin aliento. Hacía tanto tiempo que no estaba allí que no me lo podía creer. Nuestra casa, el escenario religioso de algo que no acabó de cuajar. Nuestra casa, ese niño nonato. Abrí con mis antiguas llaves, con el corazón en la boca, aunque no había tomado ningún ansiolítico en todo el día. Los dejé en cuanto entendí que era lo que tenía que hacer. Y ahora que estaba de vuelta con todos los sentidos alerta, me sentía tan lúcida que podría haber recitado, de una tacada, cualquiera de las leyes que me impedían estar allí. Era feliz. Nuestro piso de la plaza Jaume Sabartés sigue teniendo baldosas hidráulicas. Pese a todo, comprobar que habíais cambiado el color de las paredes, ella y tú, por ese color caca de paloma que está tan de moda, me sacó un poco de mis casillas. Los muebles nuevos también. Me enfurece tu nuevo estatus, las mejores calidades de tu vida, que ella haya traído consigo una mesa grande de roble, que sus libros y sus cuadros estén por todas partes, decorando artísticamente el suelo. Ni rastro de mí, aunque, la verdad, por qué iba a haberlo. La esperanza de un nuevo amor, como ya he dicho, es el mejor corrosivo. Aun así, me recompuse rápido. Entendí que era lo mejor para lo que iba a hacer. Abrí las ventanas para ventilar el olor a cerrado y a velas aromáticas que había distribuidas por varios rincones de la casa. Apestaba a caramelo.

Comprobé que alguien –¿ella o tú?– había dispuesto un buen sistema de riego para las plantas. Las plantas iban a ser mi coartada si algún vecino se presentaba sin avisar. Si algún metomentodo oía ruido de pasos o se extrañaba de tanta entrada y salida yo sería la amiga bienintencionada que se ha presentado durante la primera semana de agosto para echar una mano. Aunque parecía difícil que eso ocurriera. Ya no hay vecinos en esta ciudad en agosto, y yo sabía muy bien que ya no hay gente conocida en la finca. Solo apartamentos turísticos.

Déjame que te cuente cómo fue. La mejor parte. Me senté en el sofá, cubierto con una elegante funda blanca oriental, y respiré profundamente. Uno. Dos. Tres.

Nunca he sido tan feliz como en ese momento. Y te lo debo todo a ti.

Me duché rápidamente, con agua fría, porque fuisteis

muy prudentes y apagasteis el calentador. El chorro helado en la casa vacía y en silencio me resultó un bautismo y me permitió aclarar las ideas y repasar el plan. Si los cálculos no me fallaban, los primeros llegarían en una hora, así que tenía que darme prisa.

Me cambié y me puse el conjunto que había elegido en una tienda de barrio en Madrid y que pagué al contado. Camisa blanca, falda oscura, tacón medio. Me cepillé el pelo y rehíce la coleta. Me pinté los ojos cuidadosamente con una sombra nacarada y los labios de un rosa pálido. En el espejo estaba el rostro que deseaba tener, el de una mujer anodina que nadie recordaría.

Saqué el portátil y comprobé que todo estaba en orden en el anuncio:

El logo falso, el nombre, el texto.

Este apartamento es perfecto si está buscando una vivienda amplia y luminosa en el corazón de Barcelona, justo al lado del mercado de Santa Caterina. Este podría ser su nuevo hogar. El apartamento tiene una habitación exterior, con su propia y amplia terraza. El salón tiene una cocina americana abierta con electrodomésticos de alta gama. De reciente renovación, piso a estrenar. El edificio es esquinero, lo cual hace que el piso sea extremadamente luminoso. La terraza es amplia y soleada. Todos los electrodomésticos son de alta gama y el piso está terminado con ojo al detalle. El salón y la habitación están completamente amueblados. Los suelos de baldosa hidráulica, las vigas de madera y las ventanas de climalit hacen de este un piso característicamente barcelonés, con las calidades del Ensanche pero situado en pleno corazón de la ciudad, en uno de los barrios más solicitados y de moda. El barrio con calles estrechas que esconden pequeños comercios y restaurantes alternativos con mucha vida, en el casco antiguo. Se sitúa en la parte central del Born, junto al famoso Mercat de Santa Caterina y la Via

Laietana, muy bien comunicado con líneas de metro (L4 Jaume I y L1 Arc de Triomf) y líneas de bus (parada del 19, 39, 40, 42, 45, 51, 55, 120, H14, H16, V15, V17). A tan solo un paso del mercado, rodeado de comercios, servicios y ocio. Las fotos son de cuando pensamos en hacer aquel intercambio de casas en verano. De hecho, que el piso esté mejor que en las fotos fue una grata sorpresa. Te has gastado el dinero en renovar la cocina, y en acabar con las humedades de la terraza. Te imagino, sudoroso, los domingos, diciéndole a la rubia que no hace falta contratar a alguien, porque tú eres un hombre de verdad, de los que tallan madera y encalan paredes. Tú puedes con todo, y eso está bien. Eso está estupendamente.

Cuando llegó la primera pareja, me embargó la emoción. Dos personas que podríamos haber sido nosotros en otra época, con esa ilusión parecida a la de dos tordos corrientes, para los cuales el mundo es demasiado amplio, en busca de nido. Se me llenaron los ojos de lágrimas. Fue ahí cuando la adrenalina me desbordó, porque vi que podía funcionar. Lo que iba a hacer era una obra de arte. Algún día te darás cuenta. Algún día verás realmente a quién tuviste a tu lado.

Les expliqué, solícitamente, que podrían mudarse enseguida, pero que si de verdad les interesaba tenían que hacer una oferta de inmediato. Tendrías que haberme visto diciendo: «No puedo garantizar nada, pero al ser los primeros en verlo, quizás eso pueda ayudar.» Encontrar un piso en Barcelona en pleno agosto. Solo había que mirar su expectación. Sus ojitos. «Sí, adelantar una paga y señal ayudaría. Sí, una mensualidad, el mes en curso y la comisión de la agencia más IVA es lo habitual. Al contado es más rápido, así dejamos de enseñar el piso inmediatamente. Aquí tienen el comprobante y el sello que demuestra la legalidad de la transacción realizada. Por supuesto les será descontado del alquiler.»

La mañana y la tarde transcurrieron sin sobresaltos. Quince visitas por día, durante cinco días, con parejas de novios, amigos, estudiantes acompañados de sus padres y extranjeros en busca de una nueva vida dan para una buena suma. Debo confesar que dormir sobre el montón de dinero, dispuesto en sobres, en vuestra cama fue lo mejor de todo. Me dejé llevar por el entusiasmo. Además, había mucho trabajo que hacer, muchos correos que contestar. Había que avisarles a todos de la buena noticia y había que hacerlo de inmediato. Ellos son los agraciados. Todos. Nunca había experimentado lo que se siente al hacer feliz a la gente, al repartir tanta dicha. Me acordé de la sonrisa beatífica de los presentadores de televisión cuando hacen la llamada que otorga un premio a un televidente crédulo e idiota. Entendí esa sonrisa. No era bondad, era poder. Tener tanto poder me gustó.

Yo o más bien mi seudónimo fue la que les dio el contacto del propietario. Es decir, tú. A todos les dije que trabajo para ti. Todos los correos se mandaron desde tu casa, con el contrato de alquiler a tu nombre.

Déjame que te agradezca la imagen que me has brindado, sin quererlo, y que me acompañará el resto de mi vida. Déjame que disfrute imaginando la llamada de teléfono a deshora, a una isla paradisíaca griega, sacándoos a los dos de vuestra bruma de ouzo y polvos matinales sin prisa, mientras tomaba un taxi con una maleta llena de dinero e ilusiones, rumbo al norte. Me has hecho el mejor regalo del mundo. Esa imagen no me abandonará nunca. Hay días en los que revivo ese día y aplaudo, como una niña en el circo, entusiasmada. Mi única frustración es no poder escuchar la llamada, o ver tu cara de estupefacción al entender lo que ha pasado, cuando finalmente lo entiendas, si es que lo entiendes alguna vez, estúpido.

Aquí, desde mi balcón cerca de la carretera de les Aigües, puedo contemplarlo todo. Si me esfuerzo casi puedo ver tu casa, nuestra casa. Una ventana es como un pequeño haz de luz donde parpadea un ecosistema propio, un entresijo de vida pluricelular. Desde aquí casi puedo ver las alfombras, los libros, oler los vapores de la comida, del día a día, escuchar la risa de los amigos, todo aquello que ya nunca tendré. Y me parece bien. Ya no lo quiero. Estoy en el mejor lugar posible. Aquí nadie me buscará.

Sí, he pensado en el posible castigo si me encuentran. No me importa demasiado. No creo que al partido le interese que trascienda lo que pasó antes, lo que pasará después. Es demasiado espeso y complicado de explicar. Los titulares fáciles funcionan mucho mejor en estos tiempos, especialmente con un partido como el vuestro. Sois gente de consignas.

¿Y yo? He aprendido a vivir así, he decidido que quiero vivir así. Ya sé que tengo todo lo que necesito. Mi ascetismo sería el mismo aquí o en una celda, no me importa. Además, no me pillarán. ¿Qué van a hacer? ¿Buscar mis huellas dactilares? ¿En quién depositas tu confianza hoy en día? ¿En la Guardia Civil? ¿En los Mossos d'Esquadra?

No me importa. Nada de esto tiene importancia ya. Deberías saber, como yo, que tarde o temprano la historia nos juzgará a todos, y, qué quieres que te diga, no creo que yo salga tan mal parada.

Hay días en que me despierto con la luz del alba y salgo al pequeño jardín que hay delante de mi guarida y la belleza de todo lo que hemos creado, como humanidad, me deja sin aire. Acumulo tanto poder, yo sola, que puedo ver y oír todos los sonidos de la Tierra. El ruido de la escarcha al formarse, una hormiga avanzando sobre el musgo, un castaño al madurar.

A veces mi casera sube a mi piso, y me ofrece una taza de café y me dice que baje al jardín con ella, a ver caer la tarde. Parece entender lo que necesito incluso antes de que yo lo sepa. Es entonces cuando pienso en la inmensidad de lo que se consigue simplemente saliendo de tu radio de acción habitual. Esos días me siento en mi pequeña silla de mimbre y me digo que, desde aquí, lo único que tengo que hacer es esperar ya no el castigo sino la sorpresa del futuro que está por llegar. Cuando nos arrase la gran ola quizás me salve o quizás no.

Quién me lo iba a decir.

Esta sensación, esta incertidumbre, es todo lo que necesito para seguir viviendo.

Así que por eso estoy aquí, enterrada en vertical. Por eso este diálogo inerte contigo, mi Señor, por eso esta sal y este polvo de molusco a mi alrededor. A esta tierra pertenezco, después de tanto tránsito.

Los fuegos fatuos centelleaban la noche en que Susanna y yo partimos con lo que tenía ahorrado, dejando todo atrás. Los indios nos dejaron pasar porque el pelo color fuego de Susanna, como el de Regina Robinson, la convertía a sus ojos en un ser sobrenatural, y a ella me aferré como me aferré años atrás a un salvoconducto que me permitió subirme a un barco y huir de la pobreza. Ni me planteé llevarme conmigo a Henry, hecho ya un hombre en Saugus, con su propia familia, su propia descendencia, y a quien nadie asociaría a mí. Él estaba a salvo y yo iba a salvarme también.

Si la primera vez que salí corriendo con mi niño de rizos rubios lo hice sin un plan, esta vez la huida me encontraba con tierra comprada a los holandeses a unos días de viaje. Tenía que haber sido nuestro nuevo mundo, para todas nosotras, garantes del espíritu y de la vida, lideradas por Anne hacia nuestra propia tierra prometida. El reverendo

Peter creyó que me dejaba en la indigencia y que eso era castigo suficiente para una vieja, pero pude huir con algo más. Aunque para eso tuve que pactar. Aprendí que puedes hacer pacto de silencio con los hombres si aprendes a comportarte como ellos. Por eso sellan sus negocios en los burdeles hasta los más rectos: si yo callo tus pecados tú también debes callar los míos. En eso se basa todo.

No acudí a ninguno de los juicios de Anne, ni al civil ni al eclesiástico, pero su historia llegó más allá de la frontera de Massachusetts, llegó hasta mí, por supuesto, a mi nueva tierra llena de agua y sal, y polvo de ostra y un horizonte plano, en la arena que se come el mar, en la que me establecí, tras tanto pacto, con Susanna. Otra vez, una casa, un hijo y un pedazo de tierra. Otra vez, vuelta a empezar. Tuve noticias de Anne porque era imposible frenar todo lo que sucedió, por más que el reverendo y los gobernadores lo intentaran. Los juicios fueron breves pero encarnizados, y las transcripciones tardaron en hacerse públicas, por lo que solo conocí lo que se supo de oídas hasta mucho más adelante. Llegaron voces sobre su semblante blanco y sus manos de pájaro, su voz grave al contestar cada una de las preguntas del gobernador. Anne dijo que su cuerpo pertenecía a la colonia pero su alma pertenecía a Dios. Anne dio todas las explicaciones necesarias. Jamás descubrieron a las chicas escondidas en las montañas, ni yo supe qué fue de ellas. Quizás sobrevivieran, aunque lo más probable es que fueran descubiertas en las luchas fronterizas. Toda esa sangre derramada se mezclaba una vez más: la que era fruto de un desliz pecaminoso con la sangre de la guerra por las tierras. Todo acababa siendo solo sangre oscura.

A Anne intentaron atraparla con la artimaña de la diferencia entre la fe y la gracia, pero ella contestó siempre con decencia y rapidez. Parecía no entender que no importaba lo que dijera: el problema no era su palabra, sino su existencia. Era su existencia lo que resultaba ya insoportable. Anne se defendió como pudo, pero fue acusada de ofender y trastornar la Iglesia con sus errores y revelaciones.

Imagino que cuando lo de su último hijo, Anne supo que no había nada que hacer. Hasta ese momento pensé que se trataba de una invención del reverendo Peter para hacer correr las habladurías, pero Anne confirmó en uno de los juicios que su hijo no había nacido sano, eso dijeron los labriegos que llegaron hasta mí con la historia en nuestro nuevo asentamiento. Anne sobrevivió a un hijo muerto, pero no superaría el último juicio. Dicen que sus últimas palabras a sus antiguos vecinos fueron una maldición en nombre de Dios, contra la férrea senda religiosa que acababa de comenzar en la bahía y que se extendería como la peste entre sus habitantes. Sus palabras fueron entendidas como una confirmación de su carácter impío.

Bajo esta tierra que ya no me pesa debo recordar lo que ya sabía entonces: todo pacto necesita de un acuerdo entre las partes. Y para romper un pacto de silencio, como todo el mundo sabe, hace falta un delator.

La acusaron de traer a Satán, de ser una pagana, y mostraron como evidencia sus sermones y su propio fervor. Anne había elegido el amor. Pero ¿el amor a quién? Parece ser que Cotton estuvo en el banquillo pero jamás se le acusó de nada. «Los hombres te traicionarán», había dicho aquella curandera tantos años atrás. Solo Anne y su familia fueron obligados a abandonar la colonia y establecerse más allá de sus límites, no Cotton. Una de las criadas me dijo un año después de su expulsión que Anne y los más pequeños de su prole buscaron cobijo a apenas unas millas de aquí, también cerca del agua, donde crecen los helechos y los iris azulados. Cotton se quedó en la bahía y alcanzó fama y prosperó como gran autoridad de la colonia. Lo único que tuvo que hacer fue distanciarse de ella, como si su asociación hubiera sido una mala etapa, un sueño de otra época, y no arrancarse un brazo, que es lo que debió de sentir Anne. Arrancarse un brazo, el corazón, las tripas, y entregárselos, con todo su amor, a su delator. No se me ocurre una manera más cruel de dejar de creer en Dios.

Al cabo de unos años oí que Anne volvía a tener problemas. Había ido arrastrando el peso de su familia por distintos asentamientos y se habían quedado prácticamente sin nada. Anne estaba enferma y deshidratada y no podía mantener a los suyos. La mayoría de sus seguidores, los pocos que peregrinaron tras ella cuando su expulsión, no se atrevían a hacer trayectos largos por caminos tan peligrosos. Los indios acechaban fuera de nuestro nuevo mundo, custodiado por los holandeses. A apenas unas millas de casa, Anne languidecía mientras yo tenía de todo, comida, calor, prosperidad y a Susanna. A veces me parecía sentir que estaba cerca, Anne y su aliento vegetal, merodeando, aullando como una loba, pidiendo clemencia.

Pero un pacto es un pacto, y quien elige el amor debe pagar por ello. No acudí a salvar a Anne cuando el reverendo vino a advertirme y no lo hice ahora, cuando podía tenderle la mano. Finalmente había aprendido. No temblé la mañana en que se posó una tórtola gris en el alféizar de mi ventana, un día más, un pájaro más, un presagio de las noticias que estaban por llegar. Me levanté de la cama, pura carne floja, y preparé mi té negro con la certeza de que Anne había muerto. Una tórtola en la ventana siempre anuncia desgracias, y la única desgracia posible era esa. Supe después que la tribu de los Siwanoy les había encontrado en sus tierras y había acabado con todos, incluidos sus hijos y los dos sirvientes que les quedaban. Dicen que tenía una cruz de plata en la mano, una última ofrenda al Señor, un escudo que debía protegerla, pero nunca pude comprobar esa leyenda. La propiedad es la propiedad, y las armas son las armas, Anne, estúpida, ocupada en la salvación del alma, olvidaste los preceptos más básicos que tú me habías enseñado. Carne, sangre, tierra. Estúpida.

Ese mismo día me incorporé, me lavé con agua fresca y salí a la gran explanada que había frente a mi casa, a mis dominios. Llevaba conmigo un objeto de metal con el mango de madera, que me había dado la curandera de los ojos claros, tanto tiempo antes, y con él abrí la tierra, como un carnicero abre la piel de un ternero, con la misma certeza. Con el cauterio tracé las calles de mi pueblo y fui hasta la autoridad local a ponerle nombre: mi pueblo con dos calles en forma de cruz y una plaza en medio. Esta sería mi tierra y este mi futuro. Mi propiedad. Me olvidé de las mujeres y de todo lo que pudimos haber construido. Todo desapareció como pulverizado por la fuerza de la sal y la arenisca. Por fin, el descanso. Por fin, la paz.

EPÍLOGO: DEBORAH EN LA CALLE PUIG D'OSSA

No esperaba que me concedieras el don de la resurrec-ción de la carne. Quizás, Dios mío, esta ha sido tu última broma pesada. Tras todos estos años enterrada, despertarme en una cama fue un alivio imprevisto. Sábanas limpias, un colchón mullido, el perfume de los pinos. No era algo que pudiera prever.

El primer día en esta casa me resultó agotador. No sabía que esta nueva vida me fuera a resultar tan sencilla, que iba a vivir en esta casa, con todo ya aprendido. Un nuevo idioma, una estancia pequeña pero acogedora en la que mis huesos no pasan frío y mi piel no se resiente. He reconocido, sin haberlo oído antes, el sonido de una cafetera, de un teléfono móvil, de una tostadora. He sabido abrir los grifos del agua caliente, usar una toalla mullida, encender un ventilador. Todo era nuevo y viejo a su vez, y por tanto todo era auto-mático y una sorpresa al mismo tiempo. Como el sabor de la sangre cuando pierdes un diente, al principio aterra y después resulta tremendamente familiar. En cualquier caso, no me atreví a salir de casa hasta pasada una semana, cuando entendí que no estaba soñando, sino que esta vida era real, que estaba aquí por una razón. ¿Quizás, mi Dios, me habías entregado finalmente al cielo? Pero eso era imposible, a estas alturas ambos sabemos que no era merecedora de ello.

Cuando abrí la puerta con doble cerradura de mi piso, salí al exterior, una tarde cualquiera. Examiné lo que había a mi alrededor. Un suelo de gravilla, el jardincito de hiedra y buganvilla, y una valla de ladrillo rojo que rodeaba una casa blanca de dos plantas, y tras abrir el portón, el asfalto cuarteado de la calle. Calle Puig d'Ossa, leí, y entendí. Yo ocupaba la planta baja y la planta de arriba estaba vacía. Eché a andar por la calle, mecánicamente, hasta llegar a la plaza. El olor a pinos y la brisa húmeda no me resultaron extraños. Fue al verme en el reflejo del cristal cuando comprobé que llevaba un vestido amplio de algodón y unas zapatillas cómodas. Había sacado también la bolsa de la compra, mecánicamente.

–*Pilar, què fas, maca? Feia dies que no et vèiem* –me saludó una vecina, sentada en el porche de su casa junto a otras dos.

–*Res, vaig a comprar peix i fruita, que m'he quedat sense res a la nevera* –respondí. *Ópalo.* Otra vez las palabras salieron de mi boca como pompas de jabón, como tantos años atrás, seguras y espontáneas, como empujadas por un resorte. *Ópalo.* Miré a las vecinas. Sabía sus nombres. Conxita, Montse. ¿Por qué sabía sus nombres? ¿Por qué era todo tan familiar?

Harás el tránsito dos veces.

Recorrí dos o tres calles y me adentré en la frutería. Sopesé las manzanas, y me alegré de que hubieran llegado los primeros higos de la temporada. Compré ambas cosas, sabía a lo que iba a dedicar la tarde: un buen bizcocho dulce y cálido nos daría energía a las dos.

Emprendí el regreso a casa y realicé instintivamente las tareas que me había propuesto. Regué los geranios con la manguera y aproveché para echar algo de agua sobre las paredes blancas, para desempolvarlas un poco. El verano ensucia mucho. Una vez que hube acabado, tomé una llavecita que había colgada en la entrada y que ya intuía para qué servía. Subí trabajosamente las escaleras que daban al piso de arriba y abrí la puerta. El apartamento llevaba tiempo cerrado y tenía que ventilar. Me adentré en el salón y abrí las ventanas. Desde ahí, la vista a la ciudad de puerto era llamativa. Podías abarcar Barcelona entera desde esta primera planta. Sabía que ella no tardaría en llegar, solo tenía que esperar un poco más.

Apenas empezaba a caer el sol de la tarde en este final de verano cuando finalmente sonó el timbre. Apareció con una coleta rubia, una maleta que yo sabía ya que estaba llena de billetes, y los ojos brillantes. No era temor lo que tenía en sus ojos, sino expectación. Entendí que llegaba mi ángel, por fin.

Pasa, le dije. Esta es tu nueva casa. Ella miró a su alrededor, complacida.

Comprendí entonces que el recuerdo de Anne no me torturaría más en las noches sin luna.

—Parece que se acerca un otoño tranquilo, ¿verdad? —le pregunto ahora, y pienso si debo ofrecerle ya el bizcocho o esperar a que deshaga su maleta. Mejor esperar. Tenemos todo el tiempo del mundo.

NOTA DE LA AUTORA

Pese a que Anne Hutchinson y Deborah Moody vivieron en Swampscott, a las afueras de Salem, no hay ningún documento que acredite que coincidieran durante su estancia en esa parte de la colonia. Ambas fueron expulsadas, eso sí, por el reverendo Hugh Peter. Hutchinson fue condenada a dejar la colonia de Massachusetts, junto a su familia, en 1638, mientras que los archivos datan la expulsión y excomunión de Moody en 1643. Ocho hijos de Anne, los que permanecían con ella por ser aún menores, fueron asesinados junto a ella y su marido. Solo se salvó Susanna, que no estaba presente en la matanza. Pese a que las fechas no coinciden, se conservan unos relatos orales que fueron puestos por escrito a finales del siglo XVIII, los denominados *Cauterios,* en los que una tal D. Dunch –el apellido de soltera de Deborah Moody– se refiere a una tal Anne H., pero aún hoy la historiografía anglosajona los considera textos apócrifos. Sí está plenamente documentado que, después de su expulsión, Moody se estableció en la parte sur de Long Island, en la Nueva Holanda, con el beneplácito del director de la Dutch West India Company, Willem Kieft, donde fundó Gravesend, su propia comunidad, con tolerancia

211

religiosa y libertad de fe. Moody trazó el mapa de las calles de Gravesend en 1644. Puede consultarse una copia del manuscrito original donde aparecen las calles en la sala de lectura de la Biblioteca Pública de Nueva York.

AGRADECIMIENTOS

Este libro hubiera sido inimaginable sin mis primeras ilustres lectoras, Cristina Fallarás y Laura Fernández, que entendieron cuando nadie más entendía, incluso antes que yo misma, lo que pretendía hacer. Sin ambas el libro no existiría, mi deuda con vosotras es eterna.

A Isabel Obiols, toda mi gratitud, porque hizo que todo esto resultara fácil cuando realmente no lo era.

Gracias a Isa Calderón por la comprensión y el aliento.

Y a Manu Tomillo por la serena espera, día tras día.

ÍNDICE

Impreso en
Romanyà Valls, S. A.,
Sant Joan Baptista, 35
08789 La Torre de Claramunt